第74回　2024年8月8日

税理士 国税徴収法 エキスパート模試&過去問

CONTENTS

税理士試験　予想セミナー　第74回試験を完全予想 !!

『令和6年度の税制改正』はここがポイント!!

※　第71回税理士試験受験案内より、以下の注意事項が追加されております。
『令和3年度(第71回)の試験から、ホチキスの持込みは認めません。』

税理士試験 予想セミナー

第74回試験を完全予想!!

講師　堀川洋（税理士）1982 年から国税徴収法を専門分野に受験指導をしており、現在は受験指導の傍らで税理士業務も行い、徴税現場における税理士としての実務経験を交えた講義が受講生の人気になっている。重厚な法律を分かり易く、しかも楽しくをモットーに、毎年ヤマも的中させるカリスマ講師。

伝説のカリスマ講師 令和６年度の出題をズバリ予想 !!

国税徴収法の出題レベルは上昇傾向にあります。このために従来の基本理論の予想だけでは合格は難しい状況です。そうなると受験生は、どのような対処をして試験に臨むかが合否に影響を与えます。そのためには、これからは基本理論のマスター、事例問題の解答テクニック、さらに過去試験の分析が重要です。本書ではこのために予想問題と近年過去試験問題を収録してありますので最後の仕上げとして利用をしてください。ネットスクールでは「予想セミナー」（YouTubeにて無料公開）においてズバリ予想します！

昨年の本試験について

昨年の出題で一番驚かされたのは、その分量の多さです。第 1 問と第 2 問のすべてについて漏れなく解答するとなると、7 枚の答案用紙と 120 分という制限時間で合格レベルの答案を作成するのは相当の実力のある受験生でなければ不可能と感じました。

またその内容では、第 1 問の中に時効の具体的な日付、また第 2 問では配当金額を問う出題が行われており、これによっても明確に得点差が付いてしまう出題でした。

さらに特徴があったのが不服申立てに関する出題が 2 項目にわたって行われていることでした。特に第 1 問の問 2 においては「違法性の承継に触れつつ説明せよ」という立法の趣旨を問う内容であり、正しい記述が出来た受験生は皆無ではないかという印象がありました。

ただ第 2 問の配当金額の計算が比較的に平易であったことは少々救いであったかもしれません。

総じて昨年令和 5 年度の出題、及び合格レベルは高かったと評価できます。

本年度の傾向は？

昨年度の出題内容を踏まえて、本年令和 6 年度についても同様の形式あるいはレベルの出題がされると考えた場合、まずは問題量の多さという点を考慮しなければなりません。これにより本誌も第一問は問 1 から問 3 までとして相当量の記述を要求する出題をしています。これにより例年の内容とは異なり相当広範囲までの項目を掲載することになっています。ただしこれらは全て本年度の出題予想と考えて差し支えありません。

また本誌では第二問についても昨年の譲渡担保の施行令第 9 条の特例による配当金額の計算を前提にして、国税に優先する質権、あるいは担保権付財産の譲渡関連、第一問になりますが第 18 条の権利を害するケースの出題もしています。

本年も配当関連の出題があると予想すれば本書の範囲が要注意箇所と思われます。昨年は第一問の解答量の多いことや難易度が高かったことに対して、第二問は配点が 35 点でありその解答も高度な内容を要求するものではありませんでした。ただし、これは必ずしも本年度に引継がれるわけではなく、あくまでも過去試験問題のひとつの事例だと考えての分析です。

第一問を予想する！

第 1 問は昨年度の出題傾向から考えると誰もが予想する問題が出題されることは難しいと思われます。ただこればかりは昨年度にそのような出題が行われたというだけであり、これが本年度に継承されるかどうかは誰にも予想することはできません。

7月上旬配信予定

予想セミナーのご案内

試験直前期、最後の1カ月のラストスパートを効率的・効果的に行えるよう、各科目の気になる出題予想やその根拠、重要論点のランク付けなど、さらに深く・細かくネットスクール税理士講座の講師陣がお届けします。
ネットスクール公式 YouTube チャンネルでの配信なので、パソコンやスマートフォン、タブレットなどを使って、お好きな場所・タイミングでご覧いただけますので、ぜひご覧ください。

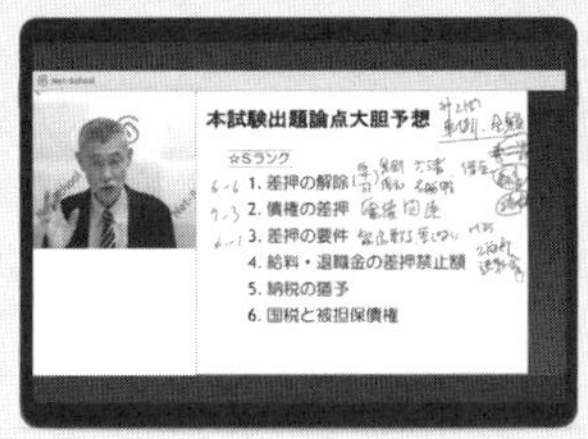

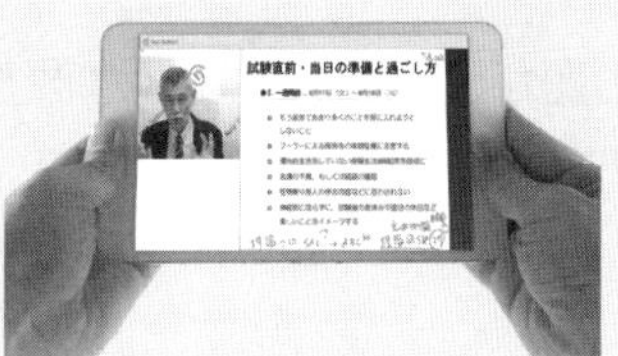

※画像は過去の予想セミナーの様子を合成したイメージです。
※配信日など予告なく変更となる場合がございます。あらかじめご了承ください。
※動画視聴に要する端末代、通信料はお客様のご負担となります。

ネットスクール公式 YouTube チャンネルにて配信予定
YouTube にて『ネットスクール』と検索 または右上の QR コードよりアクセス
https://www.youtube.com/user/netschoolcorp

ただしオーソドックスな出題を予想するのであれば、まずは本年度の改正箇所である質問及び検査、捜索また罰則規定が要注意です。また基本項目ですが差押に関して、その効果、条件付差押禁止財産、動産等の引渡命令を受けた第三者の権利保護などが予想されます。

また公売関係であれば公売実施適正化の措置、公売保証金、再度入札や再公売、また随意契約、さらに担保権の引受と消滅、法定地上権等の成立などが挙げれらます。なお少々注意しなければならないのが相続関連の滞納処分かもしれません。

国税徴収法第 139 条の滞納処分の承継や被相続人の滞納国税のための相続財産や相続人の固有財産における被担保債権の関係などの対策も必要と思われます。

さらに緊急保全措置について、繰上請求や保全差押などについても、2017 年第一問、問 2 のような具体的な日付を問う問題にも注意が必要でしょう。

第2問の応用問題は！

第 2 問は過去 30 年分の問題を分析しても大きくその範囲を外れた出題はありません。中には特殊な問題で解答が不明という出題もあります。しかし、どのような出題であれ合格率はほぼ同様であり、上位 10%強の合格者が出るわけですから出題の難易度に関係なくそれなりの対策をしておくことが重要です。

本年度の第二問については、令和 3 年度にグルグル回り、また昨年は譲渡財産の施行令の特則に関する出題がありました。今年度もこの国税と私債権関係から出題があると考えれば、第 15 条の法定納期限等以前の質権の優先、第 18 条の質権及び抵当権の優先の限度額。第 22 条の担保権付財産が譲渡された場合などについては注意が必要です。

これらはいずれも過去試験として出題実績がある問題であり、本年度に出題されるとしても大きく過去試験問題から逸脱するような内容ではないと思われます。

また、それ以外では少々平凡かもしれませんが、給与や退職金の差押禁止額の算定についても計算方法を把握しておいてください。

今後の対策について

国税徴収法の受験対策は理論中心の出題ということから、どうしても予想理論の暗記を中心にした学習になりがちです。

たしかに予想理論の暗記は重要ですが、現在の国税徴収法の試験のレベルを考えると予想理論の暗記だけでは合格答案を作成することは困難です。理論の暗記はあくまでも合格レベル最低限必要な条件です。しかし、それ以上の知識を有しており、これが答案上にどれだけ反映されるかで合否が決まります。

現時点でどの程度の基本理論の暗記が出来ているか、その正確性はどの程度かをまずは確認してください。さらに換価代金の配当などについて過去試験問題を参考にして正解が出せるかどうか。またこれらの関連法規についても説明できるかどうかも点検をしてほしいと思います。

「予想セミナー」の内容

- 〔第一問〕基本的手続関係を予想する
- 〔第二問〕応用理論の出題は何か
- ズバリ！合格答案の作成方法

『令和6年度の税制改正』は CHECK ここがポイント!!

令和6年度の税制改正において国税徴収法関係ではいくつかの改正点がありました。この中で受験上は下記の項目が関連箇所になります。一点目が質問及び検査等の相手方の範囲の拡大、次が質問及び検査等に関する物件の留置き規定の新設、さらに三点目が身分証明証の提示関連、最後が質問及び検査等の罰則規定の拡大です。

いずれも本年の出題が予想される重要な改正です。テキスト等と条文の新旧の内容を対比させながら、改正箇所を正確に把握しておきましょう。

Point Check

1．質問及び検査等の相手方における範囲の拡大（国税徴収法141条）

旧法では質問及び検査等の対象者が、滞納者に対して債権債務のある者としていました。これが改正により債権債務があった、若しくはあると認めるに足りる相当の理由のある者にまでその対象者の範囲が拡大しました。

2．質問及び検査等に関する物件の留置規定の新設（国税徴収法141の2）

徴収職員は、滞納処分に関する調査について必要があるときは、当該調査において提出された物件を留め置くことができるという規定が新設されました。

3．身分証明書の呈示等に関しての詳細（国税徴収法第147条）

これまでの身分証明書の「呈示」という用語が「提示」に改められました。またその提示が質問及び検査のときだけではなく、提示の要求があった場合や事業者等の協力要請をする場合にもその提示が必要になりました。

4．質問及び検査の拒否及び罰則の対象拡大（国税徴収法188条）

質問及び検査の拒否及び罰則の対象が、物件の提示又は提出の要求に対し、正当な理由がなくこれに応じず、又は偽りの記載若しくは記録をした帳簿書類その他の物件（その写しを含む。）を提示し、若しくは提出したときにも適用されるようにその範囲が広がりました。

ネットスクール

自分で選べる学習スタイルで

ネットスクールのカリキュラムで続々合格！

自分のスタイルに合った学習方法で合格された受講生の方の体験記です。
どのように学習して、どのようにWEB講座を活用したのでしょうか。
今後の学習の参考になりそうなお声をご紹介します。

N・Mさん 男性

簿記論＆官報　合格！

所長税理士の引退が現実味を帯び、事務所内に有資格者がいない中、会計２科目を残す自分が合格を目指すしかない状況となったため、2021年１月より簿記論・財務諸表論の学習を他の学校で開始しましたが、第71回試験は両科目とも合格ボーダーに全く届かず。続く第72回本試験では簿記論は合格。財務諸表論は53点（理論18点、計算35点）で惜しくも不合格となった。時間的な余裕もないので、穂坂先生の講義を受けるべくネットスクールのWEB講座を申し込みました。

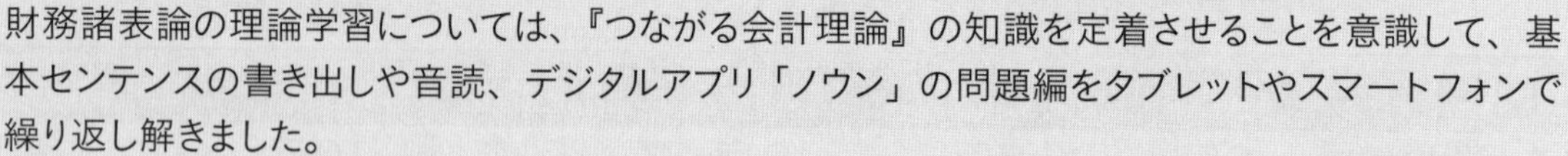

財務諸表論の理論学習については、『つながる会計理論』の知識を定着させることを意識して、基本センテンスの書き出しや音読、デジタルアプリ「ノウン」の問題編をタブレットやスマートフォンで繰り返し解きました。

結果、合格確実ラインを超える点数（理論29点、計算41点の計70点）を得て、官報合格を勝ち取ることができました。

I・Hさん 女性

消費税法　合格！

私は他の予備校と併用する形で受講させていただいたのですが、画面を通しての講義でも質問などに親身に対応してくれてとても勉強しやすかったです。また、常に前向きな言葉をかけてくださる所にもとても勇気をもらいました。

学生で本業の学業も手を抜くことができないため、試験勉強は、毎日何時から何をするかの計画を立てて勉強しました。また、直前期は毎日総合問題を解き、解答のフォームやルーティーンを定着させるようにしました。

そのため時間配分を誤ることがなかった気がします。直前期は複数の予備校の問題を解くようにしましたが、ネットスクールの教材は、主要論点を押さえつつ初見の問題もあったため何度も活用させていただきました。

YouTubeの解答速報で、丁寧な解説と勇気をもらえるような言葉を伝えてくれるネットスクールに興味を持ち、複数の科目を受講しましたが、受講してよかったです。

K・Yさん 男性

相続税法　合格！

相続税法の受験は3回目でした。過去2回の受験では、計算・理論共に基本が解答できていませんでした。そのため今回は、教科書や問題集を何度も回転させて記憶の定着を図りました。また、単なる暗記では本番の試験には対応できないので、制度の概要や制度創設の背景を理解することも重視しました。ネットスクールは講義が分かりやすく、気になったところは何度も再生できるので、納得いかないところは何度も視聴して理解することを心がけておりました。

試験直前期は、SNS等の情報に惑わされず、ネットスクールのカリキュラムをしっかりと消化して、その中の問題は確実に解けるようにすることが非常に重要だと思いました。実際に相続税法の理論ではネットスクールで出題されたところを完璧に理解していたので、しっかりと点数を取ることが出来ました。

法人税法・消費税法の合格を目指して引き続きネットスクールにお世話になろうと考えております。

イニシャルまたはハンドルネーム表記。合格体験記一部抜粋。

WEB 講座 合格者の声

税理士試験合格を目指そう！

財務諸表論　合格！

以前は他社の通信講座で2年程学習していましたが、全く結果が出せなかったので、思い切ってネットスクールに乗り換えました。

そこでまず驚いたのが、手厚いサポートでした。最初のzoomカウンセリングにて、これまでの状況を手短に説明しただけで、熊取谷先生に「財務諸表論は計算問題から取り掛かるようにしたらどうですか」というアドバイスをもらいました。私にとってはすごく参考になりました。

講義もとにかく面白く分かり易かったです。ライブ授業の日は、毎回朝から楽しみでした。そして、ひたすら苦行だった理論の勉強が、穂坂先生の講義のお陰で、めちゃくちゃ楽しい時間に変わった事にも驚きました。試験対策だけではなく、背景にあるものや作問に関わっている先生方がどういう考えでいるかなど、とても興味深い話が聞けて、飽きることなく学べました。

現在、3人の子供達の子育てをしながら勉強しておりますが、今年は結果が届いてすぐ、子供達に「合格したよ！」と知らせる事ができ、心の底から嬉しかったです。子供達も一緒に喜んでくれました。毎年、子供達に少し寂しい思いをさせてしまいますが、今年は結果が出せて本当に良かったです。

T・C さん 女性

財務諸表論　合格！

9月から簿財標準コースで学習を開始しました。4月くらいまでは何とかペースを維持していましたが、4月から昇格と同時に仕事が忙しくなりこのままでは破綻すると考え、5月の段階で今年は財務諸表論に集中しようと決断しました。

子供も小さく手が掛かり、週末も含めて夜2時間程度しか机に向かう時間はとれません。そんな中でも会社の昼休みは講義レジュメと「つながる会計理論」を毎日読み、そして5月以降は夜の時間で「ヨコ解き過去問題集」をやりつつ、総合問題を毎日1問はやるという2つを徹底して実践してきました。

H・R さん 男性

総合問題は最初のうちは時間もかかり、ケアレスミスも多発、1回目では正解していたのに2回目は間違えるなど、自分でもどうすればいいのかわからない状況に陥ることもありましたが、穂坂先生のアドヴァイス通り何度も同じ問題にチャレンジしていくうちに間違えない為のテクニックが身についていったような実感がありました。記憶に頼って解く事が無いように総合問題をランダムに解いていき、トータル5回転くらいは出来ました。

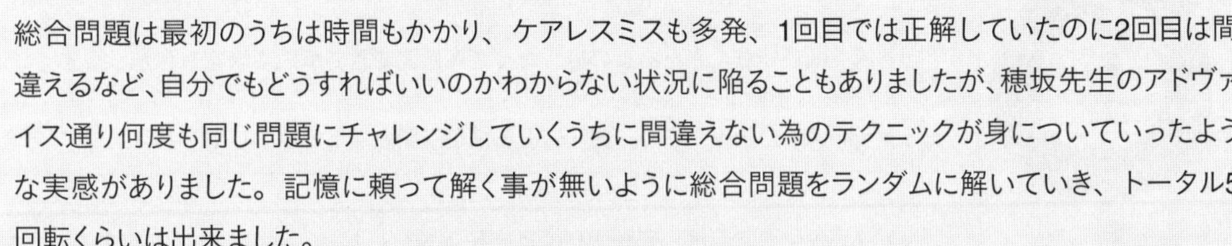

財務諸表論に絞りましたが、そんな自分でも先生のアドヴァイスを忠実に実践する事で結果につながった経験は、次の簿記論にも活きてくるものと確信しています。唯一の心残りはリアルタイムで一度も講義に参加する事ができなかったことです。今後も講師の先生を信じ、次の目標に向かってチャレンジしていきたいと思います。

税理士講座の詳細はホームページへ

ネットスクール株式会社

ネットスクール 税理士講座 検索

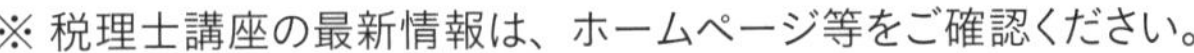

https://www.net-school.co.jp/

※ 税理士講座の最新情報は、ホームページ等をご確認ください。

予想問題
問題・答案用紙

〈問題用紙・答案用紙ご利用時の注意〉

以下の「問題用紙・答案用紙」はこの色紙を残したままていねいに抜き取り、綴込みの針金を外してご使用ください。

なお、針金を外す際は、素手ではなくドライバー等の器具を必ずご使用ください。

また、抜き取りによる損傷についてのお取り替えはご遠慮願います。

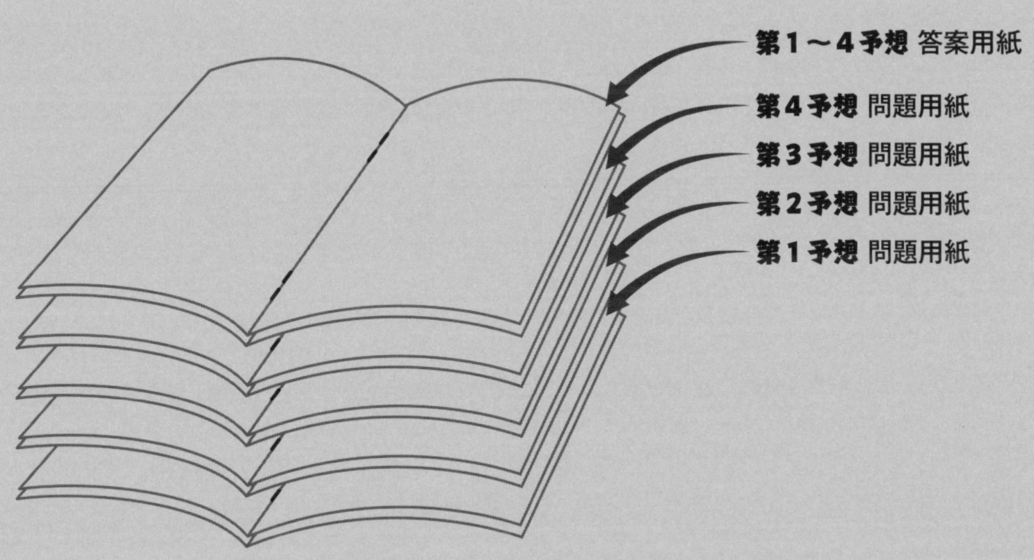

●用紙の構成

図のとおり、外側から「第１予想」、「第２予想」、「第３予想」「第４予想」「第１～４予想　答案用紙」の順に、まとめて綴じてあります。

ネットスクール出版

第１予想（問題編）

Ｚ－74－Ｈ

国税徴収法　ラストスパート模試

－実際の試験では以下の文言が記載されています－

〔注意事項〕

1．試験官の「始め」の合図があるまで、試験問題の内容は絶対に見てはいけません。

2．この試験の解答時間は、「始め」の合図があってから正味２時間です。

3．試験時間終了前に受験を終了すること（途中退室）は認めません。

4．「やめ」の合図があったら直ちにやめてください。

5．試験問題及び計算用紙は提出する必要はありません。

6. 答案の作成には、必ず黒又は青のインキ(ボールペンを含む。以下同じ。)を用いてください。鉛筆、赤のインキ、消せるボールペン等の修正可能な筆記具を用いてはいけません。修正液又は修正テープの使用は認めます。

7. 答案用紙は無解答の場合も回収しますから、それぞれの答案用紙(第一問用及び第二問用)に受験地、受験番号を必ず記入してください。氏名その他符号等は一切記入してはいけません。

8．解答は必ず答案用紙の所定の欄に明瞭に記載してください。
なお、答案用紙及び計算用紙の再交付、追加交付はしません。

9．試験問題は、令和６年４月５日現在の施行法令等によって出題されています。

10．試験問題の内容についての質問にはお答えしません。

11．この問題のページ数は、「Ｈ１～Ｈ３」です。

12．計算用紙は、答案用紙とともに配付します。

〔第一問〕－60点－

問１　(30点)

次の(1)～(3)について簡潔に説明しなさい。

(1)　公売実施適正化の措置について

(2)　差押が行われた場合の果実と保険金等に対する効力

(3)　換価の制限

問２　(15点)

国税徴収法では差押、又は交付要求が行われた場合に第三者の保護規定として第50条に財産の差押換の請求と第85条には交付要求の解除請求の規定がそれぞれ設けられている。この両者の規定についてその概要、また、両者の相違点とその理由ついて説明しなさい。

問３　(15点)

法人である納税者Ａ社は前期である第10期(自令和４年４月１日至令和５年３月31日)の法人税等について売上除外等の方法による悪質な脱税の嫌疑により国税通則法第132条による捜索が行われた。

この捜索は第11期(自令和５年４月１日至令和６年３月31日)の決算作業中である令和６年５月10日に行われており、これにより申告済み第10期の帳簿書類関係一式、及び第11期の事業年度の会計帳簿などが調査資料として差押えられた。

設問１

この逋脱行為による強制的な捜索により、Ａ社の所在地の所轄税務署は国税徴収法に規定する保全差押をすることも可能と考えられる。この保全差押を行うとした場合に、理論上いつからであればその差押をすることができるか、その日付を答えると共に本事例に即して国税徴収法に規定する要件について説明しなさい。

設問２

Ａ社の所轄税務署では、強制的な捜索が行われた令和６年５月10日現在において、未だ申告が行われていない第11期(自令和５年４月１日至令和６年３月31日)分の法人税等についての納付及び徴収に不安があるために何らかの方法により、その保全を行うことを検討している。この場合において税額確定前に行うことができる保全措置があればその手続、またその保全が可能となる日付について説明しなさい。

〔第二問〕－40 点－

次の各設例について簡潔に答えなさい。なお、土日また祝日等は考慮する必要はない。また、解答用紙の指定欄の記入すること。

設問１　(12 点)

滞納者甲(物品販売業)は令和５年分の申告所得税(法定納期限 令和６年３月 15 日)につきＸ税務署より税務調査を受け申告額に著しい不足があるとして修正申告の勧奨を受けたが、その後に修正申告は行われていなかった。そこでＸ税務署長は令和６年７月３日を納期限とする所得税額 45 万円の更正処分を行った。

しかし、甲はこの更正処分に係る税額を、甲が修正申告の勧奨にも応じなかったことから予想できたことであったが、その納期限までに納付しなかった。そこでＸ税務署では差押に関する予備手続として甲に対して任意による質問及び検査を行った。

これにより滞納処分の対象となり得る財産の存在が明らかになったが、残念ながらこの財産には令和６年４月 10 日に設定されたＡ質権 20 万円、令和６年５月 15 日に設定されたＢ根質権(極度額 50 万円)、さらに令和６年６月８日にＣ質権 30 万円が設定されていた。なお、これら３つの質権は登記、登録できるものではないが滞納者甲からの聞き取りによれば、いずれの質権も証明が可能と予想される旨の回答を受けている。

また、この財産の公売における概ねの評価額は 80 万円と見積ることができ、公売にあたっては上記質権が設定されている以外に問題はなく、換価が可能であると予想される。

この場合に配当可能となる質権者にはどのような条件が必要であるかを説明し、また換価代金の配当見込額について説明しなさい。なおＢ根質権の被担保債権としての確定額は 50 万円を前提とする。

設問２　(12 点)

Ｘ税務署ではさらに徴収手続を進めるために、後日滞納者甲及び各質権者のもとに赴き、それぞれについて慎重なる質問及び検査を行った。

これによればＡ質権の設定日には相違はなく債権額 20 万円の内の 15 万円についてしか証明することができないとのことであった。また、Ｂ根質権者はその設定日に間違いはなく、質問及び検査当日の債権額がその極度金額の 50 万円であり、これを全額証明できる旨の回答を得た。さらにＣ質権についても設定日及び債権金額 30 万円に相違はなく、その金額の全額の証明が可能であることが確認された。

これにより各質権の事情によって当該財産を当初の評価額 80 万円で換価するとした場合に滞納国税、さらに各質権者が配当を受けることができる金額を説明しなさい。この場合にＢ根質権は極度額 50 万円を前提にして配当を行うことを想定して各金額を算出しなさい。

第２予想（問題編）

Ｚ－74－Ｈ

国税徴収法　ラストスパート模試

－実際の試験では以下の文言が記載されています－

〔注意事項〕

1. 試験官の「始め」の合図があるまで、試験問題の内容は絶対に見てはいけません。
2. この試験の解答時間は、「始め」の合図があってから正味２時間です。
3. 試験時間終了前に受験を終了すること（途中退室）は認めません。
4. 「やめ」の合図があったら直ちにやめてください。
5. 試験問題及び計算用紙は提出する必要はありません。
6. 答案の作成には、必ず黒又は青のインキ（ボールペンを含む。以下同じ。）を用いてください。鉛筆、赤のインキ、消せるボールペン等の修正可能な筆記具を用いてはいけません。修正液又は修正テープの使用は認めます。
7. 答案用紙は無解答の場合も回収しますから、それぞれの答案用紙（第一問用及び第二問用）に受験地、受験番号を必ず記入してください。氏名その他符号等は一切記入してはいけません。
8. 解答は必ず答案用紙の所定の欄に明瞭に記載してください。
   なお、答案用紙及び計算用紙の再交付、追加交付はしません。
9. 試験問題は、令和６年４月５日現在の施行法令等によって出題されています。
10. 試験問題の内容についての質問にはお答えしません。
11. この問題のページ数は、「Ｈ１～Ｈ３」です。
12. 計算用紙は、答案用紙とともに配付します。

〔第一問〕　－60点－

問１　(37点)

次の(1)～(3)について、簡潔に説明しなさい。

(1)　捜 索

(2)　担保権の消滅又は引受

(3)　滞納処分を免れる行為に対する罰則

問２　(８点)

国税徴収法第８条では「国税は、納税者の総財産について、この章に別段の定がある場合を除き、すべての公課その他の債権に先だって徴収する。」としている。この国税が優先徴収されるという規定の趣旨(理由)について説明しなさい。

問３　(15点)

国税徴収法第18条にはただし書きとして「その国税に優先する他の債権を有する者の権利を害することとなるときは、この限りではない」という旨の規定がある。これについて下記の資料を参考にして、この「他の債権を有する者の権利を害する」ことになる換価代金は何円以上の金額となるか、その具体的な金額を答え、さらにこの金額を用いてその具体的な配当金額について説明をしなさい。
なお、金額の単位は解答の都合により円単位としているので、この単位を用いて説明すること。

［設 例］

1.　滞納所得税の金額は400円であり、その法定納期限等は令和６年３月15日である。

2.　滞納処分による差押が行われている財産は不動産である土地であり換価は容易と想定され、特に換価に制限があるような財産ではないものとする。

3.　この土地には下記の３つの抵当権が設定されている。

(1)　A根抵当権

①　設　定　登　記	令和４年10月９日
②　極　　度　　額	1,000円
③　差押通知時の債権額	600円
④　配当時の債権額	800円

(2)　B抵当権

①　設　定　登　記	令和５年11月５日
②　差押通知時の債権額	300円

(3)　C抵当権

①　設　定　登　記	令和６年２月９日
②　差押通知時の債権額	200円

〔第二問〕　－40 点－

被相続人である父が令和５年４月 20 日に死亡した。配偶者である妻は既に死亡しているために、４人の子供がその財産を相続することとなったが、それぞれ下記に示すような事情がある。これらについて設問に簡潔に答えなさい。なお各設問の解答にあたっては、各相続人について分割された相続財産と国税は基本的に独立して考えること。

［相続内容］

1. 被相続人である父は個人事業に係る令和４年分の申告所得税（法定納期限：令和５年３月 15 日）400 万円を滞納していた。これによりその所有する不動産である土地甲（見積評価額 800 万円）に令和５年６月５日に被相続人の住所を所轄する税務署により差押えが行われている。

2. 上記 1.の滞納所得税 400 万円についてはその全額を長男Ａが相続するものとし、これによりすでに滞納処分による差押えが行われている土地甲を長男Ａが相続することで法定相続人全員の協議が完了している。

3. すでに差押されている土地甲には、被相続人である父により令和４年 12 月５日に銀行からの借入による抵当権イが 250 万円、さらに令和５年４月２日に取引先からの借入による抵当権ロが 300 万円設定されていた。

4. 同じく父は個人事業に係る令和４年分の消費税（法定納期限：令和５年３月 31 日）300 万円も滞納していたが、これについては申告が遅れて期限後申告が令和５年４月５日に行われている。なお、この納付も行われておらず滞納となっており、督促は行われていたが滞納処分は開始されていない。この消費税の未納は次男Ｂが全額相続することになっている。

5. 父が死亡したことにより令和５年６月 30 日に準確定申告を行ったが、その申告税額は 200 万円であった。この金額を長女Ｃと三男Ｄが 100 万円ずつ負担することを検討している。

6. 次男Ｂは父の滞納となっている滞納消費税 300 万円の相続をしたが、これ以外には特別な財産などの相続はしていなかった。その後次男Ｂは自身の事業に係る資金不足の事情により、父の滞納消費税を適宜に納付することができなかった。このために所轄税務署により、次男Ｂの固有財産である土地乙（見積評価額は 700 万円）に対して令和６年４月７日に差押えが行われた。

   この土地乙には次男Ｂによる銀行借入によって令和５年２月７日に抵当権ハが 200 万円、また、令和５年３月 20 日に抵当権ニが 300 万円、さらに抵当権ホが令和５年５月９日に 400 万円がそれぞれ設定されている。

第３予想（問題編）

Ｚ－74－Ｈ

国税徴収法　ラストスパート模試

－実際の試験では以下の文言が記載されています－

〔注意事項〕

1. 試験官の「始め」の合図があるまで、試験問題の内容は絶対に見てはいけません。
2. この試験の解答時間は、「始め」の合図があってから正味２時間です。
3. 試験時間終了前に受験を終了すること（途中退室）は認めません。
4. 「やめ」の合図があったら直ちにやめてください。
5. 試験問題及び計算用紙は提出する必要はありません。
6. 答案の作成には、必ず黒又は青のインキ（ボールペンを含む。以下同じ。）を用いてください。鉛筆、赤のインキ、消せるボールペン等の修正可能な筆記具を用いてはいけません。修正液又は修正テープの使用は認めます。
7. 答案用紙は無解答の場合も回収しますから、それぞれの答案用紙（第一問用及び第二問用）に受験地、受験番号を必ず記入してください。氏名その他符号等は一切記入してはいけません。
8. 解答は必ず答案用紙の所定の欄に明瞭に記載してください。
   なお、答案用紙及び計算用紙の再交付、追加交付はしません。
9. 試験問題は、令和６年４月５日現在の施行法令等によって出題されています。
10. 試験問題の内容についての質問にはお答えしません。
11. この問題のページ数は、「Ｈ１～Ｈ２」です。
12. 計算用紙は、答案用紙とともに配付します。

第４予想（問題編）

Ｚ－74－Ｈ

国税徴収法　ラストスパート模試

－実際の試験では以下の文言が記載されています－

〔注意事項〕

1. 試験官の「始め」の合図があるまで、試験問題の内容は絶対に見てはいけません。
2. この試験の解答時間は、「始め」の合図があってから正味２時間です。
3. 試験時間終了前に受験を終了すること（途中退室）は認めません。
4. 「やめ」の合図があったら直ちにやめてください。
5. 試験問題及び計算用紙は提出する必要はありません。
6. 答案の作成には、必ず黒又は青のインキ(ボールペンを含む。以下同じ。)を用いてください。鉛筆、赤のインキ、消せるボールペン等の修正可能な筆記具を用いてはいけません。修正液又は修正テープの使用は認めます。
7. 答案用紙は無解答の場合も回収しますから、それぞれの答案用紙(第一問用及び第二問用)に受験地、受験番号を必ず記入してください。氏名その他符号等は一切記入してはいけません。
8. 解答は必ず答案用紙の所定の欄に明瞭に記載してください。
   なお、答案用紙及び計算用紙の再交付、追加交付はしません。
9. 試験問題は、令和６年４月５日現在の施行法令等によって出題されています。
10. 試験問題の内容についての質問にはお答えしません。
11. この問題のページ数は、「Ｈ１～Ｈ４」です。
12. 計算用紙は、答案用紙とともに配付します。

〔第一問〕 −60点−

問１　(33点)

次の(1)〜(3)について、簡潔に説明しなさい。

(1)　随意契約による売却

(2)　滞納処分の引継ぎ

(3)　質問及び検査

問２　(13点)

物品販売を営む個人事業者である滞納者が令和５年度分(法定納期限：令和６年３月15日)の申告所得税を滞納している場合に、国税の法定納期限の１年前の日後の期間にまで遡って、その行った契約や取引などについて金銭的な利益を限度にして第二次納税義務が発生することが考えられる。この場合の成立要件と第二次納税義務を負う者、また、その範囲について簡潔に説明しなさい。

問３　(14点)

下記に示す各設問について、それぞれの事例に従い納期限等について簡潔に答えなさい。

設問１

被相続人甲が令和４年５月25日に死亡したために、唯一の相続人であるＡは令和４年12月20日に相続税の申告を行い、その納付を令和５年３月５日に行った。しかし、令和５年10月７日にこの相続税の申告につき被相続人甲の住所を所轄する税務署からの税務調査があり、財産評価の一部に誤りがあることを指摘されたために、相続税の申告を依頼した税理士と相談の上で令和５年11月20日に修正申告書を提出した。

この場合における修正申告に係る相続税の納期限の日付を答え、この納期限について説明をしなさい。

設問２

株式会社Ｂ社は、従来より飲食店チェーンを関西圏で展開しており、この事業に係る法人税の申告を本店の所在地を所轄する乙税務署に行っていた。このＢ社の令和５年４月１日から令和６年３月31日に係る事業年度について税務調査があり、売上に関する計上漏れがあることを理由に修正申告の勧奨を受けたがこれに応じないため令和６年７月５日更正通知書が発送された。また、今回のこの売上の計上漏れは支店長が故意に行ったものであり、その金額も大きく本店における管理不行き届きとされて令和６年７月20日重加算税の賦課決定通知書が発せられている。

この場合の重加算税の法定納期限の日付を答え、この法定納期限について説明しなさい。

設問３

個人事業者であるＣは令和５年分の所得税の申告を法定申告期限前の令和６年２月 20 日に早々と行った。その後、納税者Ｃは令和５年 10 月 31 日を返済期限とする銀行からの借入金 300 万円の返済が滞ったことを理由に、納税者Ｃの土地に設定した抵当権について令和６年２月 25 日強制換価手続が開始されることとなった。これにより納税者Ｃの住所を管轄する丁税務署は納税者Ｃの申告済みの所得税について、法定納期限前でありその納付が行われていないことから、令和６年３月５日を納期限として繰上請求書によりその請求を行った。

この場合の繰上請求に係る所得税の法定納期限等の日付を答え、この法定納期限等について説明しなさい。

令和６年度　税理士試験
国税徴収法　ラストスパート模試

第１予想（答案用紙）

〈答案用紙〉

〔答案用紙ご利用時の注意〕

1. 実際の税理士試験では、この表紙はありません。
2. ネットスクールホームページでは、答案用紙のダウンロードサービスを行っています。
   ホームページ（https://www.net-school.co.jp/）よりご利用ください。
3. 答案の採点は、模範解答をもとに各自で行ってください。

Z－74－H　国税徴収法　ラストスパート模試　第１予想　〔第一問〕　答案用紙

問１

(1)

受験地					
受験番号					

評　　点

問１

(2)

問１

⑶

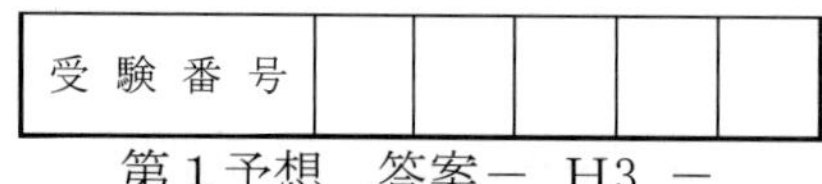

問２

受 験 番 号					

問３

設問１

設問２

受験番号					

令和６年度　税理士試験
国税徴収法　ラストスパート模試

第２予想（答案用紙）

〈答案用紙〉

〔答案用紙ご利用時の注意〕

1. 実際の税理士試験では、この表紙はありません。
2. ネットスクールホームページでは、答案用紙のダウンロードサービスを行っています。
   ホームページ（https://www.net-school.co.jp/）よりご利用ください。
3. 答案の採点は、模範解答をもとに各自で行ってください。

問１

(1)

受験地					
受験番号					

評点

問１

⑴続き

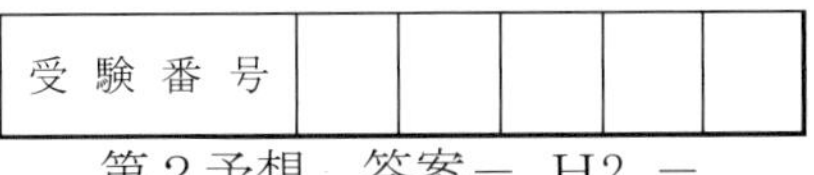

問１

(2)

問１

⑶

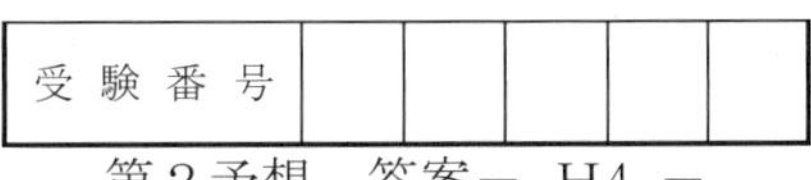

問２

受験番号					

令和６年度　税理士試験
国税徴収法　ラストスパート模試

第３予想（答案用紙）

〈答案用紙〉

〔答案用紙ご利用時の注意〕

1. 実際の税理士試験では、この表紙はありません。
2. ネットスクールホームページでは、答案用紙のダウンロードサービスを行っています。
   ホームページ（https://www.net-school.co.jp/）よりご利用ください。
3. 答案の採点は、模範解答をもとに各自で行ってください。

問１

⑴

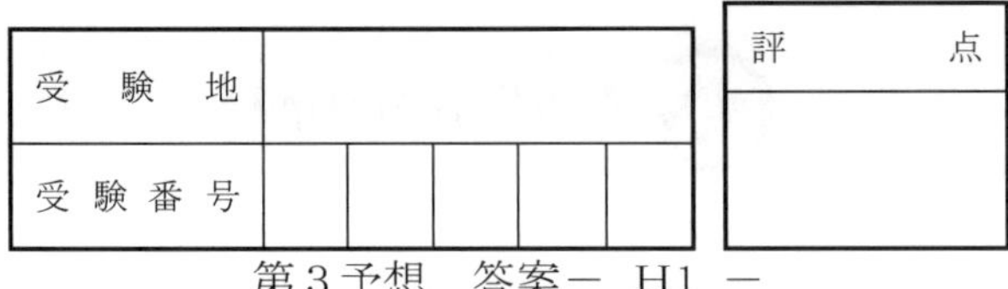

評　　点

問 1

(2)

(3)

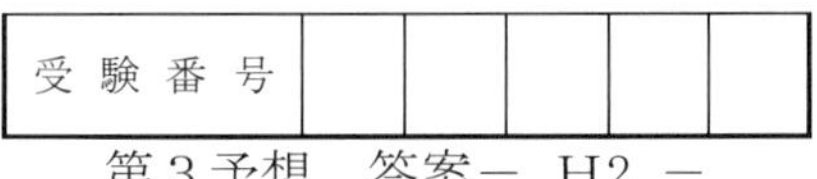

問２

受験番号					

問２（続き）

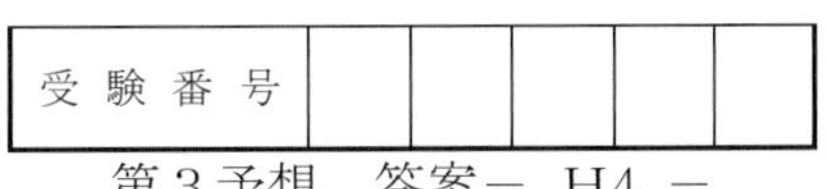

問３

受験番号					

令和６年度　税理士試験
国税徴収法　ラストスパート模試

第４予想（答案用紙）

〈答案用紙〉

〔答案用紙ご利用時の注意〕

1. 実際の税理士試験では、この表紙はありません。
2. ネットスクールホームページでは、答案用紙のダウンロードサービスを行っています。
   ホームページ（https://www.net-school.co.jp/）よりご利用ください。
3. 答案の採点は、模範解答をもとに各自で行ってください。

問１

(1)

受験地					
受験番号					

評点

問１

(2)

受験番号					

(3)

受験番号					

問２

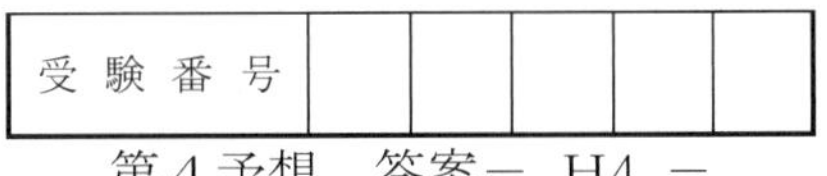

問３

設問１

設問２

受験番号					

問３

設問３

受 験 番 号					

設問１

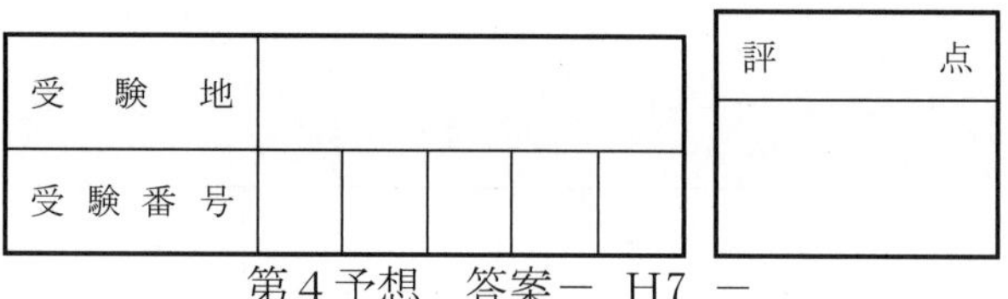

受　験　地					
受 験 番 号					

評　　　点

設問１（続き）

受験番号					

設問２

受 験 番 号					

設問３

受験番号

設問３（続き）

受験番号

Ｚ－74－Ｈ　国税徴収法　ラストスパート模試　第３予想　〔第二問〕　答案用紙

設問１

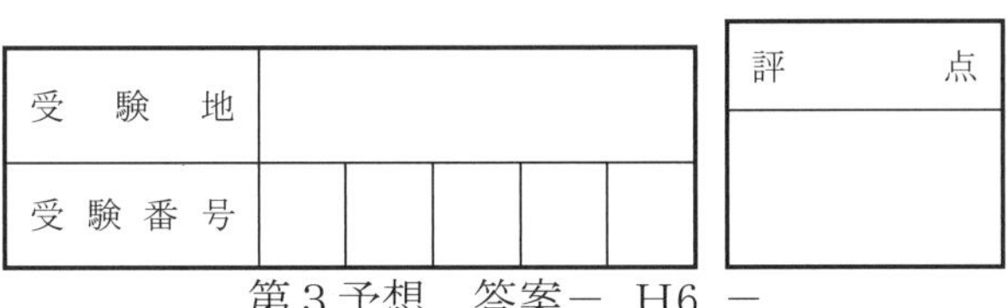

受　験　地					
受 験 番 号					

評　　　点

設問１（続き）

受験番号

設問１（続き）

受験番号					

設問２

受験番号					

設問３

受 験 番 号					

問3

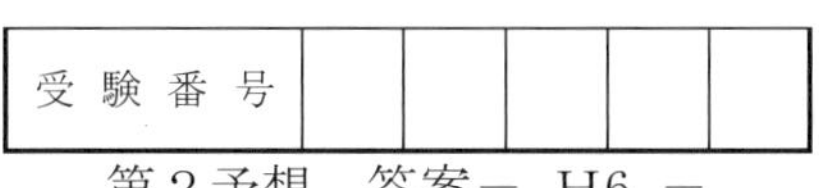

Ｚ－74－Ｈ　国税徴収法　ラストスパート模試　第２予想　〔第二問〕　答案用紙

設問１

受　験　地					
受 験 番 号					

評　　点

設問２

受 験 番 号					

設問3

受験番号

設問４

受験番号					

設問5

受験番号					

Ｚ－74－Ｈ　国税徴収法　ラストスパート模試　第１予想　〔第二問〕　答案用紙

設問１

受験地					
受験番号					

評　点

設問２

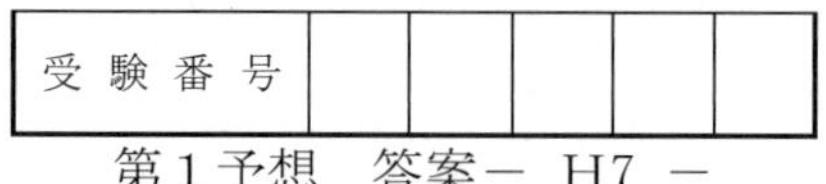

設問３

〔第二問〕―40 点―

下記に示す設例により**設問１～設問３**についてそれぞれ簡潔に答えなさい。なお、土日また祝日等は考慮する必要はない。また、解答は答案用紙の指定欄の記入すること。

〔設 例〕

1. 滞納者甲は従来より個人事業者として不動産業を営んでいたが、令和５年度分(法定納期限令和６年３月 15 日)の申告所得税 300 万円を滞納している。これにより所轄であるＸ税務署長がすでに数回の督促を行っているが、いっこうに納付する様子がなく、納税猶予等の緩和規定に関する助言を行ってもその申請が行われない状況であった。このため、やむを得ずＸ税務署の徴収職員が滞納者甲に対する滞納処分に関する財産の調査を行った結果下記の事実が判明した。

2. 滞納者甲は首都圏で不動産業を営むが、その規模が零細ということもあり、大手のデベロッパーなどの進出も影響し、数年前から大きな物件の扱いをすることも少なく、資金繰りが非常に厳しい状況であった。このような事情により令和６年３月 20 日取引先から資金 450 万円を借り入れ、同日付で滞納者甲が販売のために保有する土地Ｍに同額のＡ抵当権を設定し、さらにその後令和６年４月 15 日に信用金庫から 200 万円の借り入れを行い、同日付で上記の土地Ｍに２番目のＢ抵当権の設定が行われている。その後令和６年５月７日に、この土地ＭをＡ抵当権及びＢ抵当権の２つの抵当権を設定したままの状態で、近隣の同業者乙株式会社に売却していた。

3. 上記2.の後、滞納者甲は土地Ｍの売却代金と取引先と信用金庫からの借入金により新たな土地Ｎを令和６年６月 30 日丙より購入している。しかし、この土地Ｎには譲渡人丙により令和５年 12 月７日に行われた借り入れ 250 万円によるＣ抵当権が同日付で設定されている状態であった。これにつき滞納者甲は、このＣ抵当権を引受けることを了承してこの土地を購入していた。

4. 滞納者甲は上記不動産取引とは別に、資金調達を目的として自宅不動産を譲渡担保として令和６年７月 21 日に取引先丁に譲渡していることが登記簿より明らかになっている。さらに譲渡担保権者となる取引先丁は財産譲受後に借入金の担保としてこの不動産に令和６年８月７日に 270 万円のＤ抵当権、さらに令和６年９月３日にＥ抵当権 400 万円を既に設定していることが調査日である現時点で確認されている。

設問１　(15 点)

上記2.の土地Ｍを購入した乙株式会社は、令和５年５月 31 日を法定納期限とする法人税 560 万円を滞納していたため、乙株式会社の所轄であるＹ税務署が令和６年７月 1 日に差押えを行い、その後令和６年８月 29 日この土地Ｍを 900 万円で換価した。

この時点では上記3.の土地Ｎを取得しておらず、同じく上記4.の土地の譲渡担保権者の物的納税責任の適用もされていないとして、この土地Ｍのみを対象として考えた場合にＹ税務署が行った滞納処分による換価代金から滞納者甲の滞納所得税の徴収は可能かどうかを検討し、徴収可能であると判断した場合に、その徴収できる金額を答えなさい。なお、具体的な徴収手続に関しては記述する必要はない。

設問２　（５点）

土地MにＹ税務署が設問1.の滞納処分を行った後、上記3.の令和６年６月 30 日に滞納者甲が取得したＣ抵当権が設定された土地Ｎにつき令和６年９月２日Ｘ税務署より差押えが執行され、令和６年 10 月 20 日換価が行われ、その換価代金が 400 万円であった。このときＸ税務署では滞納者甲の滞納所得税をどれほど徴収することができるか検討し、徴収可能とした場合の金額を答えなさい。

設問３　（20 点）

土地M及び土地Ｎの滞納処分が執行された後に一部徴収不足があるため、Ｘ税務署ではさらに上記4.の譲渡担保として甲が丁に譲渡した自宅用不動産を国税徴収法第 24 条譲渡担保権者の物的納税責任の規定を適用して徴収することを検討している。この場合にはどのような要件が必要か説明しなさい。

また、徴収可能とした場合、この譲渡担保財産である自宅用不動産が概ね 800 万円程度で換価できると予想される場合、譲渡担保設定者である滞納者甲の滞納所得税はどのような手続により、どれほど徴収することができるか説明しなさい。

〔第一問〕－50点－

問１　(25点)

次の(1)～(3)について、簡潔に説明しなさい。

(1)　公売保証金

(2)　電子記録債権の差押え

(3)　法定地上権等の成立

問２　(15点)

国税徴収法第59条第3項には動産の引渡命令により、その引渡しを行った場合にその引渡命令後の期間分の借賃の支払がある場合には優先的に配当を行う規定がある。この規定についてその理由(趣旨)と優先配当に関する内容を説明しなさい。

問３　(10点)

国税徴収法第82条の交付要求と第86条の参加差押は滞納者の財産に強制換価手続が開始されたことが要件となっているが、この強制換価手続の対象は異なっている。

これについて両者の強制換価手続の対象が異なる理由と両者の効果における相違点について説明しなさい。

〔**第二問**〕－50点－

滞納者Ａは相続税 4,500 千円を滞納していた。そこで所轄税務署の徴収職員が、滞納者Ａの勤務先である甲社から聞き取りをしたところ、滞納者Ａは令和６年７月中に甲社から給料または賞与の支給を受けることが判明した。また滞納者Ａは令和６年７月末で甲社を退職する予定であることも明らかになった。これにより下記に示す滞納者Ａの扶養親族や勤務状況を参考にして各設問に答えなさい。

（資　料）

1. 滞納者Ａは昭和49年10月2日生まれで、大学卒業後の平成９年４月から、現在令和６年７月末まで甲社に勤務している。現在滞納者Ａが扶養している親族は下記の2名である。
   (1)　配偶者Ｂ（無収入であり控除対象配偶者に該当する）
   (2)　長 男 Ｃ（満14歳で控除対象扶養親族に該当しない）
2. 滞納者Ａは７月分の給料として下記の金額を受取ることが税務署の調査で明らかになっている。

(1)	総支給額	379,500円
(2)	(1)から控除される源泉所得税	4,890円
(3)	(1)から控除される特別徴収住民税	22,900円
(4)	(1)から控除される社会保険料	56,734円

3. 同様に７月であるため夏季賞与も下記の通り支給されることになっている。

(1)	総支給額	795,000円
(2)	(1)から控除される源泉所得税	39,541円
(3)	(1)から控除される社会保険料	113,583円

4. 滞納者Ａは甲社に27年４ヵ月勤務して令和６年７月31日付で退職することになっており、下記の退職金の受給を受ける予定である。

(1)	支給額	16,385,000円
(2)	退職金に係る源泉所得税	69,600円
(3)	上記(1)から控除される住民税	139,200円

設問１　(30点)

滞納者Ａの７月分の給料と同月支給される賞与を２ヵ所から給料の支払いを受けるものとみなして、２つの方法で計算した場合の給与の差押禁止額をそれぞれ答えなさい。ただし、滞納者Ａはこの給料の差押に関して同意はしていない。

設問２　(12点)

滞納者Ａの退職金に関する差押禁止額を答えなさい。なお、この退職金の差押に滞納者Ａは同意していない。

設問３　(8点)

所轄税務署において、これら給料及び退職金の差押を行うこととした場合、その具体的な手続とその効果について説明しなさい。

7. 長女Cは上記5.の父の準確定申告の所得税 100 万円を相続すると同時に、父が生前に長年にわたり収集していた評価額 100 万円程度と見積ることができる美術関係の動産を相続したいと考えているが、いまだこの財産に関する分割協議は完了していない。ただし、相続した所得税の金額 100 万円と相続財産の価額 100 万円を比較すると未納国税が発生することも予想され、その不足分を自ら負担しなければならないことから、民法に定める限定承認が可能であるかを検討している。なお、長女Cはすでに結婚し、現在長女Cは専業主婦であるため個人的な財産を保有していない状況である。

8. 三男Dは父が収集していた希少価値のある見積評価額 200 万円相当のレコードコレクションと外国製のステレオ装置一式を相続した。三男Dも準確定申告の所得税として相続した 100 万円を法定納期限である令和５年８月 20 日に納付できなかった。このために所轄税務署では、滞納処分としてDが保有する固有財産である見積評価額 150 万円の自動車に差押えを行った。

設問１　（７点）

父の土地甲の差押はその死亡の日である令和５年４月 20 日後の令和５年６月５日であるが、この差押は効力を有するかどうかについて説明しなさい。

設問２　（８点）

長男Aは土地甲を相続することになるが、この土地甲には被相続人である父が生前に抵当権イ及び抵当権ロの２つを設定している。このときに父の滞納所得税につき行われた土地甲に対する差押の効力があるとした場合、この土地が見積評価額で換価されたと想定したときの換価代金の配当金額について説明しなさい。

設問３　（８点）

次男Bが相続した父の消費税 300 万円の滞納を原因として、相続人である次男Bの固有財産である土地乙に滞納処分が行われて見積評価額の 700 万円で換価されたと想定した場合の換価代金の配当金額について説明しなさい。

設問４　（８点）

限定承認は相続人全員がこれを申請することを条件とするが、この全員による限定承認があったと想定した場合、国税徴収法において長女Cの相続はどのように取り扱われるか、また、限定承認が行われずに単純承認をした場合の取扱いについても説明しなさい。

設問５　（９点）

三男Dは、この所轄税務署の行ったDの固有財産である自動車の差押に納得ができないために、何らかの措置を講じたいと考えている。これについて、三男Dが行い得る不服申立以外の方法があれば説明しなさい。

設問３　(16点)

Ｘ税務署では更正処分による所得税の納期限である令和６年７月３日までにその納付がないために数回の督促を行った。しかしながら滞納者甲の納付に関する意思が希薄と判断されるために、Ｘ税務署では質権の設定されている財産に差押えを行った。

この差押に関してＡ質権は設問２では設定額20万円の内の15万円につき証明することができるとのことであったが、Ｘ税務署にて更なる調査をしたところ設定額20万円全額について国税徴収法第15条第２項の証明ができないことが明らかになった。またＢ根質権（極度額50万円）は差押通知時の債権額が25万円、さらに配当時の債権額も40万円であり、その証明が可能であった。なおＣ質権の債権額は質権設定額の30万円のままであり、全額その証明をすることができた。

その後、当該財産はＸ税務署において公売に付されて当初の見積より高額の100万円で換価され、所定の日に買受代金の納付が無事に行われた。

このときの税務署長の債権額の確認に関する具体的な手続について説明し、また滞納国税及び各質権への配当金額を答えなさい。

ネットスクール

過去問題

問題・答案用紙

〈問題用紙・答案用紙ご利用時の注意〉

以下の「問題用紙・答案用紙」はこの色紙を残したままていねいに抜き取り、綴込みの針金を外してご使用ください。

なお、針金を外す際は、素手ではなくドライバー等の器具を必ずご使用ください。

また、抜き取りによる損傷についてのお取り替えはご遠慮願います。

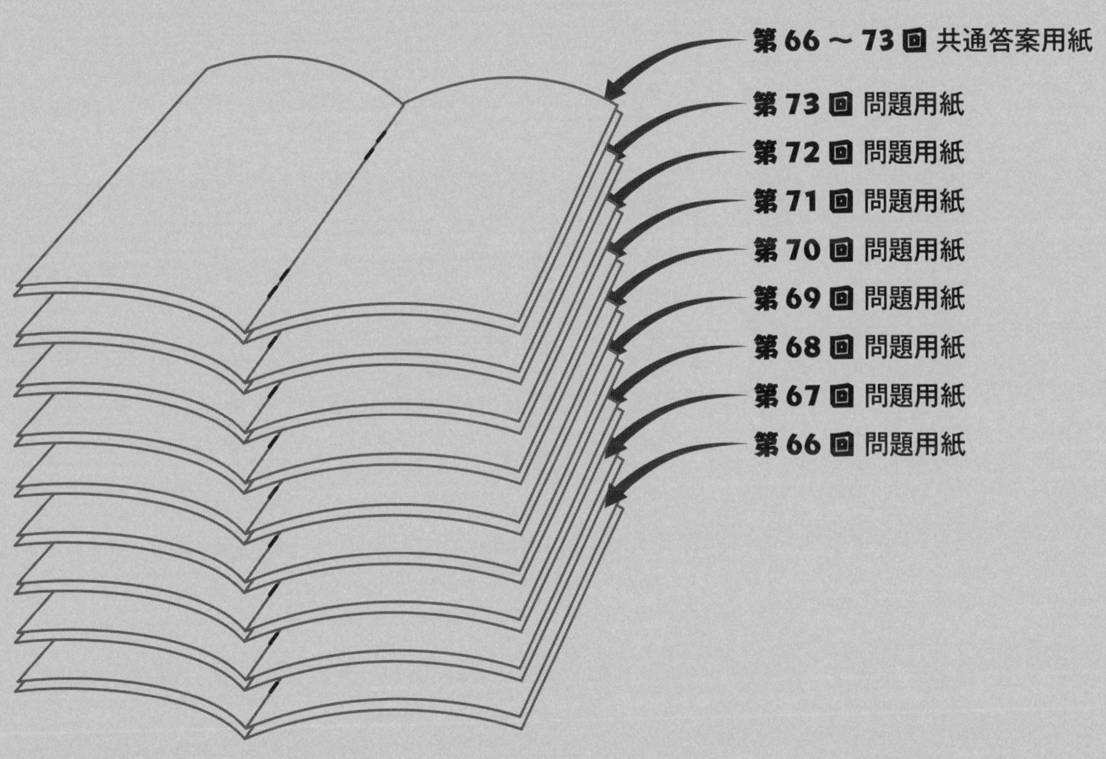

●用紙の構成

図のとおり、外側から「第66回」「第67回」「第68回」「第69回」「第70回」「第71回」「第72回」「第73回」「第66～73回　共通答案用紙」の順に、まとめて綴じてあります。

なお、過去問題の答案用紙については、1セットのご用意となっており、各回共通ですのでご注意ください。

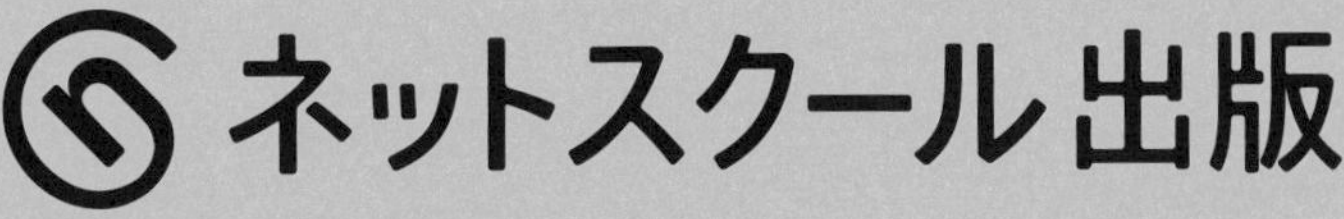

第66回（問題編）

Ｚ－74－Ｈ

国税徴収法　過去問

平成28年度（第66回）

－実際の試験では以下の文言が記載されています－

〔注意事項〕

1. 試験官の「始め」の合図があるまで、試験問題の内容は絶対に見てはいけません。
2. この試験の解答時間は、「始め」の合図があってから正味２時間です。
3. 試験時間終了前に受験を終了すること（途中退室）は認めません。
4. 「やめ」の合図があったら直ちにやめてください。
5. 試験問題及び計算用紙は提出する必要はありません。
6. 答案の作成には、必ず黒又は青のインキ（ボールペンを含む。以下同じ。）を用いてください。鉛筆、赤のインキ、消せるボールペン等の修正可能な筆記具を用いてはいけません。修正液又は修正テープの使用は認めます。
7. 答案用紙は無解答の場合も回収しますから、それぞれの答案用紙（第一問用及び第二問用）に受験地、受験番号を必ず記入してください。氏名その他符号等は一切記入してはいけません。
8. 答案用紙はホチキス留めから絶対に取り外さないでください。答案作成に当たっては、答案用紙のホチキス部分を折り曲げても差し支えありませんが、外さないように注意してください。
9. 解答は必ず答案用紙の所定の欄に明瞭に記載してください。
   なお、答案用紙及び計算用紙の再交付、追加交付はしません。
10. 試験問題は、令和６年４月５日現在の施行法令等によって出題されています。
11. 試験問題の内容についての質問にはお答えしません。
12. この問題のページ数は、「Ｈ１～Ｈ２」です。
13. 計算用紙は、答案用紙とともに配付します。

〔第一問〕　－50点－

問１

⑴　滞納者が職業又は事業(農業及び漁業を除く。)の用に供している財産について、(イ)絶対的に差押えが禁止される場合と(ロ)条件付きで差押が禁止される場合を説明しなさい。

また、(ハ)上記(イ)と(ロ)の対象となる財産の範囲が異なる理由について、制度の趣旨に言及して説明しなさい。

(注)解答は、答案用紙の指定欄に記載すること。

⑵　徴収職員が差し押さえようとしている滞納者の機械について、その機械を滞納者から賃借して事業の用に供している第三者(滞納者の親族その他の特殊関係者ではない。)が、引き続き、その機械を賃借することができる場合を説明しなさい。

なお、税務署長の処分について説明する必要はない。

(注)解答は、答案用紙の指定欄に記載すること。

問２　納税者が病気にかかり、納期限内に国税を納付できなかったことを前提として、(イ)納税の猶予と(ロ)納税者の申請による換価の猶予のそれぞれについて、その要件及び効果の異なる点を説明しなさい。

(注)解答は、答案用紙の指定欄に記載すること。

Ｚ－74－Ｈ
国税徴収法　過去問

平成 29 年度（第 67 回）

第67回（問題編）

－実際の試験では以下の文言が記載されています－

〔注意事項〕

1. 試験官の「始め」の合図があるまで、試験問題の内容は絶対に見てはいけません。
2. この試験の解答時間は、「始め」の合図があってから正味２時間です。
3. 試験時間終了前に受験を終了すること（途中退室）は認めません。
4. 「やめ」の合図があったら直ちにやめてください。
5. 試験問題及び計算用紙は提出する必要はありません。
6. 答案の作成には、必ず黒又は青のインキ（ボールペンを含む。以下同じ。）を用いてください。鉛筆、赤のインキ、消せるボールペン等の修正可能な筆記具を用いてはいけません。修正液又は修正テープの使用は認めます。
7. 答案用紙は無解答の場合も回収しますから、それぞれの答案用紙（第一問用及び第二問用）に受験地、受験番号を必ず記入してください。氏名その他符号等は一切記入してはいけません。
8. 答案用紙はホチキス留めから絶対に取り外さないでください。答案作成に当たっては、答案用紙のホチキス部分を折り曲げても差し支えありませんが、外さないように注意してください。
9. 解答は必ず答案用紙の所定の欄に明瞭に記載してください。
   なお、答案用紙及び計算用紙の再交付、追加交付はしません。
10. 試験問題は、令和６年４月５日現在の施行法令等によって出題されています。
11. 試験問題の内容についての質問にはお答えしません。
12. この問題のページ数は、「Ｈ１～Ｈ２」です。
13. 計算用紙は、答案用紙とともに配付します。

〔第一問〕　－50点－

問１　納期限前に災害により被害を受けた納税者の申告所得税（確定申告分）について、納税の猶予が最長でどれだけの期間にわたり適用されるか説明しなさい。

（注）　解答は、答案用紙の指定欄に記載すること。

問２　Ａ株式会社は、平成27年３月決算（事業年度：平成26年４月１日から平成27年３月31日まで）に係る法人税の確定申告分（法定申告期限：平成27年５月31日）について脱税行為を行っていたため、平成28年２月１日に国税犯則取締法に基づく強制調査を受け、さらに、税務調査により平成28年10月31日付で更正処分を受けている（同日の午前10時に更正通知書の送達、納期限：平成28年11月30日）。

Ｘ税務署長がＡ株式会社から上記の更正処分に係る法人税を徴収するため、理論上、滞納処分による差押えをすることができることとなり得た時期（差押えの始期）を早い順に、それぞれの差押えの要件と、その日付が始期となる理由を付して、答案用紙の指定欄に記載しなさい。

なお、解答に当たり、土日、休日等を考慮する必要はない。

（注）　平成30年３月31日をもって国税犯則取締法は廃止され、この法律の規定が国税通則法に含有されることになっていることを考慮してほしい。

第68回（問題編）

Ｚ－74－Ｈ

国税徴収法　過去問

平成30年度（第68回）

－実際の試験では以下の文言が記載されています－

〔注意事項〕

1. 試験官の「始め」の合図があるまで、試験問題の内容は絶対に見てはいけません。
2. この試験の解答時間は、「始め」の合図があってから正味２時間です。
3. 試験時間終了前に受験を終了すること（途中退室）は認めません。
4. 「やめ」の合図があったら直ちにやめてください。
5. 試験問題及び計算用紙は提出する必要はありません。
6. 答案の作成には、必ず黒又は青のインキ（ボールペンを含む。以下同じ。）を用いてください。鉛筆、赤のインキ、消せるボールペン等の修正可能な筆記具を用いてはいけません。修正液又は修正テープの使用は認めます。
7. 答案用紙は無解答の場合も回収しますから、それぞれの答案用紙（第一問用及び第二問用）に受験地、受験番号を必ず記入してください。氏名その他符号等は一切記入してはいけません。
8. 答案用紙はホチキス留めから絶対に取り外さないでください。答案作成に当たっては、答案用紙のホチキス部分を折り曲げても差し支えありませんが、外さないように注意してください。
9. 解答は必ず答案用紙の所定の欄に明瞭に記載してください。
   なお、答案用紙及び計算用紙の再交付、追加交付はしません。
10. 試験問題は、令和６年４月５日現在の施行法令等によって出題されています。
11. 試験問題の内容についての質問にはお答えしません。
12. この問題のページ数は、「Ｈ１～Ｈ２」です。
13. 計算用紙は、答案用紙とともに配付します。

〔第一問〕　－50点－

問１　国税徴収法第 98 条第１項では、「税務署長は、近傍類似又は同種の財産の取引価格、公売財産から生ずべき収益、公売財産の原価その他の公売財産の価格形成上の事情を適切に勘案して、公売財産の見積価額を決定しなければならない。この場合において、税務署長は、差押財産を公売するための見積価額の決定であることを考慮しなければならない」と規定されている。

また、不動産を公売する場合は、公売の日から３日前の日までに見積価額を公告しなければならないとされている（国税徴収法第 99 条第１項第１号）。

⑴　「税務署長は、差押財産を公売するための見積価額の決定であることを考慮しなければならない」とされている趣旨（理由）を説明しなさい。

⑵　不動産の公売における見積価額とその公告について、これらが公売において果たす役割とその理由を説明しなさい。

問２　税務署長は、賃借権の目的となっている不動産を差し押さえた場合は、その賃借権を有する者に対して、その不動産を差し押さえた旨を通知しなければならないこととされている。その理由について、国税徴収法に定められた制度に言及しながら説明しなさい。

問３　次の設例において、国税徴収法の規定に基づき、Ａ税務署長が甲土地から滞納者Ｂの所得税を徴収することができる金額について、理由を付して説明しなさい。

なお、延滞税、利息等の額を考慮する必要はない。

［設例］

１　滞納者Ｂは、平成 28 年分の所得税 600 万円（期限内に申告）を滞納している。

２　滞納者Ｂは、唯一の財産である甲土地（評価額 900 万円）を平成 30 年２月１日に親族Ｃに贈与し、同日、所有権移転の登記がされた。

３　甲土地には抵当権が設定されており、上記２の贈与に当たり、被担保債権に係る債務は親族Ｃが引き受け、滞納者Ｂに代わって返済をすることにつき、抵当権者Ｄを含めた三者間で合意している。

抵当権の内容：被担保債権額 400 万円、平成 29 年６月１日登記

第69回（問題編）

Ｚ－74－Ｈ

国税徴収法　過去問

令和元年度（第69回）

－実際の試験では以下の文言が記載されています－

〔注意事項〕

1. 試験官の「始め」の合図があるまで、試験問題の内容は絶対に見てはいけません。
2. この試験の解答時間は、「始め」の合図があってから正味２時間です。
3. 試験時間終了前に受験を終了すること（途中退室）は認めません。
4. 「やめ」の合図があったら直ちにやめてください。
5. 試験問題及び計算用紙は提出する必要はありません。
6. 答案の作成には、必ず黒又は青のインキ（ボールペンを含む。以下同じ。）を用いてください。鉛筆、赤のインキ、消せるボールペン等の修正可能な筆記具を用いてはいけません。修正液又は修正テープの使用は認めます。
7. 答案用紙は無解答の場合も回収しますから、それぞれの答案用紙（第一問用及び第二問用）に受験地、受験番号を必ず記入してください。氏名その他符号等は一切記入してはいけません。
8. 答案用紙はホチキス留めから絶対に取り外さないでください。答案作成に当たっては、答案用紙のホチキス部分を折り曲げても差し支えありませんが、外さないように注意してください。
9. 解答は必ず答案用紙の所定の欄に明瞭に記載してください。
   なお、答案用紙及び計算用紙の再交付、追加交付はしません。
10. 試験問題は、令和６年４月５日現在の施行法令等によって出題されています。
11. 試験問題の内容についての質問にはお答えしません。
12. この問題のページ数は、「Ｈ１～Ｈ３」です。
13. 計算用紙は、答案用紙とともに配付します。

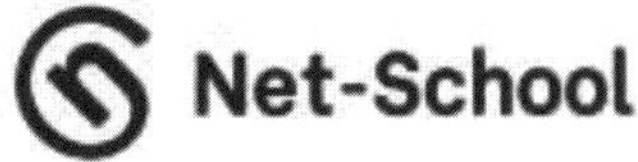

〔第一問〕　－40点－

次の事項について、簡潔に説明しなさい。

1　交付要求と参加差押の異同について

⑴　要件の異同

⑵　手続の異同

⑶　効果の異同

2　徴収職員における財産調査権限について

第70回（問題編）

Ｚ－74－Ｈ

国税徴収法　過去問

令和２年度（第70回）

－実際の試験では以下の文言が記載されています－

〔注意事項〕

1. 試験官の「始め」の合図があるまで、試験問題の内容は絶対に見てはいけません。
2. この試験の解答時間は、「始め」の合図があってから正味２時間です。
3. 試験時間終了前に受験を終了すること（途中退室）は認めません。
4. 「やめ」の合図があったら直ちにやめてください。
5. 試験問題及び計算用紙は提出する必要はありません。
6. 答案の作成には、必ず黒又は青のインキ（ボールペンを含む。以下同じ。）を用いてください。鉛筆、赤のインキ、消せるボールペン等の修正可能な筆記具を用いてはいけません。修正液又は修正テープの使用は認めます。
7. 答案用紙は無解答の場合も回収しますから、それぞれの答案用紙（第一問用及び第二問用）に受験地、受験番号を必ず記入してください。氏名その他符号等は一切記入してはいけません。
8. 答案用紙はホチキス留めから絶対に取り外さないでください。答案作成に当たっては、答案用紙のホチキス部分を折り曲げても差し支えありませんが、外さないように注意してください。
9. 解答は必ず答案用紙の所定の欄に明瞭に記載してください。
   なお、答案用紙及び計算用紙の再交付、追加交付はしません。
10. 試験問題は、令和６年４月５日現在の施行法令等によって出題されています。
11. 試験問題の内容についての質問にはお答えしません。
12. この問題のページ数は、「Ｈ１～Ｈ２」です。
13. 計算用紙は、答案用紙とともに配付します。

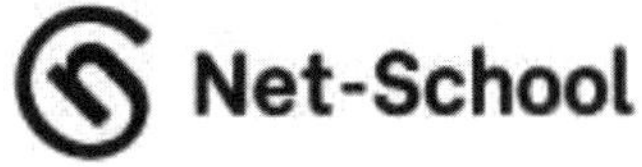

〔第一問〕　－50点－

問１　国税徴収法第104条第１項では、徴収職員は、見積価額以上の入札者等のうち最高の価額による入札者等を最高価申込者として定めなければならないと規定され、また、同法第104条の２第１項では、徴収職員は入札の方法により不動産等の公売をした場合において、最高価申込者の入札価額(以下「最高入札価額」という。)に次ぐ高い価額(見積価額以上で、かつ、最高入札価額から公売保証金の額を控除した金額以上であるものに限る。)による入札者から次順位による買受けの申込みがあるときは、その者を次順位買受申込者として定めなければならないと規定されている。

⑴　不動産等の公売において、「最高入札価額に次ぐ高い価額による入札者から次順位による買受けの申込みがあるときは、その者を次順位買受申込者として定めなければならない」とされている趣旨(理由)を説明しなさい。

⑵　不動産等の公売において、最高価申込者の場合と異なり、次順位買受申込者を本人の申込制としている理由を説明しなさい。

⑶　次順位買受申込者となる者の要件について説明するとともに、最高入札価額に次ぐ高い価額による入札者が２名以上で、その全ての者から買受けの申込みがあった場合の次順位買受申込者の定め方について説明しなさい。

問２　次の事項について、簡潔に説明しなさい。ただし、税務署長が行う処理については説明する必要はない。

⑴　財産の差押換えの請求について

⑵　交付要求の解除の請求について

第71回(問題編)

Ｚ－74－Ｈ

国税徴収法　過去問

令和３年度(第71回)

－実際の試験では以下の文言が記載されています－

〔注意事項〕

1. 試験官の「始め」の合図があるまで、試験問題の内容は絶対に見てはいけません。
2. この試験の解答時間は、「始め」の合図があってから正味２時間です。
3. 試験時間終了前に受験を終了すること（途中退室）は認めません。
4. 「やめ」の合図があったら直ちにやめてください。
5. 試験問題及び計算用紙は提出する必要はありません。
6. 答案の作成には、必ず黒又は青のインキ(ボールペンを含む。以下同じ。)を用いてください。鉛筆、赤のインキ、消せるボールペン等の修正可能な筆記具を用いてはいけません。修正液又は修正テープの使用は認めます。
7. 答案用紙は無解答の場合も回収しますから、それぞれの答案用紙(第一問用及び第二問用)に受験地、受験番号を必ず記入してください。氏名その他符号等は一切記入してはいけません。
8. 答案用紙はホチキス留めから絶対に取り外さないでください。答案作成に当たっては、答案用紙のホチキス部分を折り曲げても差し支えありませんが、外さないように注意してください。
9. 解答は必ず答案用紙の所定の欄に明瞭に記載してください。
なお、答案用紙及び計算用紙の再交付、追加交付はしません。
10. 試験問題は、令和６年４月５日現在の施行法令等によって出題されています。
11. 試験問題の内容についての質問にはお答えしません。
12. この問題のページ数は、「Ｈ１～Ｈ３」です。
13. 計算用紙は、答案用紙とともに配付します。

〔**第一問**〕　－50点－

問１　国税徴収法第79条は、差押えを解除しなければならない場合及び差押えを解除することができる場合の要件を定めたものである。そのうち「差押えを解除することができる場合」について説明しなさい。

問２　公売における売却決定について、次の(1)及び(2)の問に答えなさい。

⑴　国税徴収法第113条第1項は、不動産、船舶、航空機、自動車、建設機械、小型船舶、債権又は電話加入権以外の無体財産権等(以下「不動産等」という。)の最高価申込者に対する売却決定手続を定めたものである。

不動産等のうち、次の財産の公売における売却決定の日が、公売する日と異なる日とされている理由について簡単に説明しなさい。

イ　自動車

ロ　不動産

⑵　換価した財産に係る売却決定の取り消される場合について説明しなさい。

第72回（問題編）

Z－74－H

国税徴収法　過去問

令和４年度（第72回）

－実際の試験では以下の文言が記載されています－

〔注意事項〕

1. 試験官の「始め」の合図があるまで、試験問題の内容は絶対に見てはいけません。
2. この試験の解答時間は、「始め」の合図があってから正味２時間です。
3. 試験時間終了前に受験を終了すること（途中退室）は認めません。
4. 「やめ」の合図があったら直ちにやめてください。
5. 試験問題及び計算用紙は提出する必要はありません。
6. 答案の作成には、必ず黒又は青のインキ（ボールペンを含む。以下同じ。）を用いてください。鉛筆、赤のインキ、消せるボールペン等の修正可能な筆記具を用いてはいけません。修正液又は修正テープの使用は認めます。
7. 答案用紙は無解答の場合も回収しますから、それぞれの答案用紙（第一問用及び第二問用）に受験地、受験番号を必ず記入してください。氏名その他符号等は一切記入してはいけません。
8. 答案用紙はホチキス留めから絶対に取り外さないでください。答案作成に当たっては、答案用紙のホチキス部分を折り曲げても差し支えありませんが、外さないように注意してください。
9. 解答は必ず答案用紙の所定の欄に明瞭に記載してください。
   なお、答案用紙及び計算用紙の再交付、追加交付はしません。
10. 試験問題は、令和６年４月５日現在の施行法令等によって出題されています。
11. 試験問題の内容についての質問にはお答えしません。
12. この問題のページ数は、「Ｈ１～Ｈ３」です。
13. 計算用紙は、答案用紙とともに配付します。

〔第一問〕　－50点－

問１　国税滞納処分の差押えの一般的な要件の一つとして、国税徴収法第47条第１項第１号は、「督促状を発した日から起算して10日を経過した日までに完納しないとき。」と規定しているが、例外的に、督促を要しない国税の差押えを行うことができる場合がある。

督促を要しない国税（担保の処分、譲渡担保権者の物的納税責任の追及及び国税に関する法律の規定により一定の事実が生じた場合に直ちに徴収するものとされている国税を除く。）の差押えを行うことができる場合について、簡潔に説明しなさい。

問２　納税の緩和制度の一つである滞納処分の停止について、その要件及び効果を説明しなさい。

Ｚ－74－Ｈ

国税徴収法　過去問

令和５年度(第73回)

第73回(問題編)

－実際の試験では以下の文言が記載されています－

〔注意事項〕

1. 試験官の「始め」の合図があるまで、試験問題の内容は絶対に見てはいけません。
2. この試験の解答時間は、「始め」の合図があってから正味２時間です。
3. 試験時間終了前に受験を終了すること（途中退室）は認めません。
4. 「やめ」の合図があったら直ちにやめてください。
5. 試験問題及び計算用紙は提出する必要はありません。
6. 答案の作成には、必ず黒又は青のインキ(ボールペンを含む。以下同じ。)を用いてください。鉛筆、赤のインキ、消せるボールペン等の修正可能な筆記具を用いてはいけません。修正液又は修正テープの使用は認めます。
7. 答案用紙は無解答の場合も回収しますから、それぞれの答案用紙(第一問用及び第二問用)に受験地、受験番号を必ず記入してください。氏名その他符号等は一切記入してはいけません。
8. 答案用紙はホチキス留めから絶対に取り外さないでください。答案作成に当たっては、答案用紙のホチキス部分を折り曲げても差し支えありませんが、外さないように注意してください。
9. 解答は必ず答案用紙の所定の欄に明瞭に記載してください。
なお、答案用紙及び計算用紙の再交付、追加交付はしません。
10. 試験問題は、令和６年４月５日現在の施行法令等によって出題されています。
11. 試験問題の内容についての質問にはお答えしません。
12. この問題のページ数は、「Ｈ１～Ｈ４」です。
13. 計算用紙は、答案用紙とともに配付します。

〔第一問〕　－65点－

問１（35点）

次の⑴～⑶について、簡潔に説明しなさい。

⑴　共同的な事業者の第二次納税義務の要件及び責任の限度

⑵　国税に関する法律に基づく処分に対する不服申立てと国税の徴収との関係（ただし、国税不服審判所長及び行政不服審査法第11条第２項に規定される審理員の権限に属する事項については説明する必要はない。）

⑶　国税通則法第46条の納税の猶予を税務署長等が取り消すことができる場合及びその手続

問２（15点）

国税徴収法においては、滞納処分に関する不服申立て等の期限の特例に関する規定が設けられているが、その特例の内容について説明するとともに、その特例が設けられている趣旨（理由）について、滞納処分の違法性の承継に触れつつ説明しなさい。

問３（15点）

次の〔設例〕において、①～③の事由が、国税の徴収権の消滅時効にどのように影響を及ぼすか（具体的日付を用いて説明する必要はない。）を述べた上で、消滅時効の完成により、甲の滞納国税について徴収権を行使することができなくなる日を答えなさい。なお、附帯税について考慮する必要はない。

〔設例〕

滞納者甲は、令和５年３月10日、令和４年分の申告所得税の確定申告を行い、納付すべき税額（300万円）が確定したが、法定納期限である令和５年３月15日までに納付しなかった。（なお、他に滞納となっている国税はない。）

①　そのため、甲の滞納国税の納税地を所轄する乙税務署長は、同年４月26日、甲の令和４年分申告所得税に係る督促状を発送し、督促状は同月28日に甲に送達された。

②　督促状の送付を受けた甲は、同年５月15日に乙税務署を訪れ、令和４年分申告所得税を一時に納付することが困難であるとして、同国税につき国税徴収法第151条の２の規定による換価の猶予の申請を行った。

乙税務署長は、甲の申請を許可することとし、同月22日、甲の令和４年分申告所得税全額について、猶予期間を同月15日から同年10月31日までとし、各月末日に50万円ずつ分割して納付することを内容とする換価の猶予許可通知書を発送し、同通知書は同月24日に甲に送達された。

③　同年６月28日、甲の財産について強制執行が開始されたことから、同年７月５日、乙税務署長は、甲の滞納国税について丙地方裁判所に交付要求を行うこととし、同日、丙地方裁判所宛に交付要求書を発送するとともに、甲宛に交付要求通知書を発送した。

交付要求書は同月６日に丙地方裁判所に送達されたものの、同月 10 日、甲宛の交付要求通知書が郵便局から返戻されたため、同月 12 日、乙税務署徴収職員は甲の自宅に赴き、甲に交付要求通知書を交付した。

同年８月 31 日、乙税務署長は、上記の交付要求に基づく配当として金銭 100 万円の交付を受け、同日、甲の滞納国税に充当したが、甲からは、その後も残額の 200 万円が納付されることはなく換価の猶予期間を経過した。

〔**第二問**〕　－35 点－

次の〔設例〕において、以下の**問１**及び**問２**に答えなさい。

〔設例〕

1　印刷工場を経営する滞納会社甲社は、令和４年１月１日から令和４年 12 月 31 日までの期間を事業年度（消費税及び地方消費税の課税期間）とする消費税及び地方消費税確定分 200 万円（法定納期限等：令和５年２月 28 日）を滞納している。

2　令和５年６月１日、甲社は、その代表者の知人である乙との間で、乙から事業資金として 500 万円を借り入れるに当たり、甲社が所有する印刷用の機械設備（評価額 500 万円）を担保の目的で乙に譲渡する旨の契約を締結し、同月５日、動産譲渡登記を経由した。

3　令和５年９月４日、X税務署長は、甲社の滞納国税 200 万円を徴収するため、譲渡担保権者である乙に対して国税徴収法第 24 条第２項に基づく告知を行うとともに、乙の納税地を管轄するＹ税務署長及び甲社に対し、その旨を通知した。

4　上記３の告知を受けた乙は、上記２の貸付金について、甲社からの返済が滞っていたことから、令和５年９月７日、甲社に対して譲渡担保権を実行する旨の通知を行い、返済されていない貸付金額 450 万円と機械設備の時価 500 万円との差額 50 万円を現金で甲社に交付するとともに、その機械設備を乙の事務所に持ち帰った。

これにより、乙は譲渡担保財産である機械設備の所有権を確定的に取得するとともに、甲社と乙との間に債権債務関係はなくなった。

5　乙は、令和４年分の消費税及び地方消費税 400 万円（法定納期限等：令和５年３月 31 日）を滞納していた。

6　令和５年９月 11 日、Ｙ税務署徴収職員は、乙の財産調査のために乙の事務所を訪れたところ、上記４の事実を把握したため、乙が取得した機械設備を差し押さえた。

7　令和５年９月 18 日、X税務署長は、甲社の滞納国税を徴収するため、Ｙ税務署長が差し押さえた機械設備につき参加差押えをした。

8　令和５年９月 20 日、Ｚ県税事務所長は、乙の滞納地方税 200 万円（法定納期限等：令和４年８月 31 日）を徴収するため、Ｙ税務署長が差し押さえた機械設備につき参加差押えをした。

9　甲社及び乙は、他に差し押さえるべき財産を有していない。

過去問ゼミ共通

令和６年度　税理士試験
国税徴収法　ラストスパート模試

〈答案用紙〉

〔答案用紙ご利用時の注意〕

1. 実際の税理士試験では、この表紙はありません。
2. ネットスクールホームページでは、答案用紙のダウンロードサービスを行っています。
   ホームページ（https://www.net-school.co.jp/）よりご利用ください。
3. 答案の採点は、模範解答をもとに各自で行ってください。

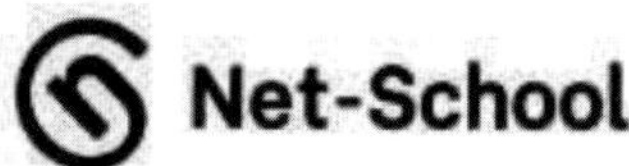

受　験　地					
受験番号					

評　　　点

受験番号					

受験番号 | | | | | |

受験番号					

受 験 番 号					

Ｚ－74－Ｈ　国税徴収法　ラストスパート模試　過去問共通　〔第二問〕　答案用紙

Net-School

受　験　地					
受 験 番 号					

評　　点

受験番号					

受験番号					

受 験 番 号					

受 験 番 号					

問１（20点）

国税徴収法第24条に基づく譲渡担保権者の物的納税責任を追及するための一般的な要件を述べた上で、X税務署長が行った参加差押えの有効性について、理由を付して答えなさい。

問２（35点）

機械設備が滞納処分により換価された場合に、X税務署長、Y税務署長及びZ県税事務所長が、それぞれ受けることができる配当金額について、理由を付して答えなさい。なお、換価代金は500万円とし、滞納処分費、附帯税及び遅延利息等について考慮する必要はない。

〔第二問〕　－50点－

次の問１～問３において、甲税務署長が、現時点（令和４年８月時点）で、滞納者（Ａ社、Ｅ社及び居住者Ｉ）の滞納国税を徴収するため、国税徴収法上の第二次納税義務による徴収方途及び徴収できる範囲について、その根拠を示して説明しなさい。

なお、甲税務署長が行う手続については、解答する必要はない。

問１

1　Ａ社は、平成29年６月１日に設立された税理士法人である。

2　Ａ社の社員は、設立時からの社員であるＢ及び令和３年４月１日に入社したＣの２名である。なお、設立時からの社員であったＤは、令和３年10月31日付で退社（登記済）している。

3　現在、Ａ社は、活動を停止しており事業再開の目途は立っておらず、滞納処分の執行が可能な財産は有していない。

4　Ａ社は、令和元年５月期消費税及び地方消費税の確定申告分1,000,000円を滞納している。

問２

1　Ｅ社は、資本金1,000,000円の株式会社であり、その株式の保有割合は、代表者Ｆ及び役員Ｇがそれぞれ50％ずつとなっている。（Ｆ及びＧ以外に役員等はいない。）

2　Ｅ社は、令和２年３月期法人税の確定申告分3,000,000円を滞納している。

3　Ｅ社は、令和４年３月31日、株主総会において解散を決議し、清算人にＦを選任した（登記済）。

4　清算人であるＦは、その選任時におけるＥ社の残余財産について、その選任後に、次のとおり清算手続（分配）を行った。

⑴　現金2,000,000円をＦ名義預金口座に振り込んだ。

⑵　定期預金3,000,000円を解約し、Ｇ名義預金口座に振り込んだ。

⑶　Ｈ（Ｆの友人）に対する貸付金債権1,000,000円について、債権放棄した。

5　現在、Ｅ社は、滞納処分の執行が可能な財産を有していない。

問３

1　居住者Ｉは、自身が経営するＪ株式会社（資本金1,000,000円。居住者Ｉが全額出資。）の借入金の物上保証人として、自らが所有していた不動産を担保として提供していたところ、Ｊ株式会社が当該借入金について返済不能となった。そのため、居住者Ｉは、令和２年３月31日、当該担保不動産を20,000,000円（時価相当額）で売却し、売却代金全額をＪ株式会社の借入債務の返済に充てた。その結果、居住者Ｉは、Ｊ株式会社に対して、同額の求償債権を取得した。

2　居住者Ｉは、上記不動産の売却を行った令和２年分に係る所得税15,000,000円について滞納した。

3　居住者Ｉは、Ｊ株式会社の経営が悪化したため、事業再生士の指導・支援の下で、取引金融機関から金融支援（債権放棄）を受けるに当たり、令和３年 10 月 31 日、Ｊ株式会社に対する求償債権を放棄した。

　なお、居住者Ｉが求償債権を放棄した時点での、当該求償債権の評価額は 10,000,000 円であった。

4　Ｊ株式会社は、上記企業再生の手続後においては、業績が回復している。

5　現在、居住者Ｉは、滞納処分の執行が可能な財産を有していない。

〔第二問〕　－50点－

次の設例において、以下の問１及び問２に答えなさい。なお土日、祝日等については考慮しない。

〔設　例〕

1　滞納会社甲は、次の国税について換価の猶予を申請し、令和２年３月１日から令和３年２月28日まで、換価の猶予に基づき、毎月末20万円の分割納付をすることとなった。

なお株式会社甲は、換価の猶予の申請に当たって、滞納会社甲の代表者Ａが所有する乙土地について、担保提供を行い、抵当権の設定を受けた。

・　対象国税：令和元年12月期消費税の確定申告分　500万円
　（法定納期限：令和２年２月29日・期限内申告）

2　株式会社甲は、換価の猶予が許可された後、令和２年10月末までの毎月20万円の納付を行っていたが、その後、取引先の倒産等の影響から売上が減少したため、令和２年11月以降の納付はできなかった。

3　Ｘ税務署の徴収職員Ｙは、令和３年１月20日、滞納会社甲の事務所へ臨場したところ、代表者Ａから、令和２年12月末をもって事業を廃業しており、残りの滞納分の納付はできない旨の申出を受けた。

4　徴収職員Ｙは、直ちに換価の猶予を取り消した上で財産調査を行ったが、滞納処分の執行が可能な財産は発見できなかった。

そのため、乙土地の処分を進めるため、その権利関係を調査したところ、次のとおりであった。

①　平成30年10月31日　抵当権設定登記
　（抵当権者：Ｂ銀行、債務者：甲、被担保債権額：500万円）

②　平成31年３月20日　抵当権設定仮登記
　（抵当権者：Ｃ、債務者：Ａ、被担保債権額：200万円）

③　令和２年３月１日　抵当権設定登記
　（抵当権者：財務省(Ｘ税務署長)、債務者：甲、被担保債権額：500万円）

④　令和２年11月30日　Ｄ年金事務所長差押え
　（滞納者：Ａ、滞納保険料：100万円、法定納期限等：令和元年５月31日）

⑤　令和３年１月15日　Ｅ市長参加差押え
　（滞納者：Ａ、滞納地方税：500万円、法定納期限等：平成30年９月30日）

⑥　令和３年１月25日　Ｘ税務署長担保物処分のために参加差押え
　（滞納者：甲、滞納国税：340万円、法定納期限等：令和２年２月29日）

5　Ｘ税務署長は、換価執行決定の効力が適法に生じたことから、乙土地の公売を行った。その結果、買受人から1,160万円を受領した。

この公売に際して、Ｘ税務署長は、乙土地の評価に係る鑑定料30万円を支払っている。またＤ年金事務所長は、差押えを行った直後に、乙土地の評価を鑑定士に依頼し、それに係る鑑定料30万円を支払っていた。

なお、B銀行からは、抵当権に係る債権額が400万円である旨の債権現在額申立書が提出されているが、Cからの書類等の提出はない。

問1

⑴ 国税徴収法第89条の2の規定は、参加差押えをした税務署長による換価執行を定めたものである。参加差押えをした税務署長による換価処分を定めた趣旨(理由)を説明しなさい。

(2) 参加差押えをした税務署長による換価執行制度において、その換価執行決定の効力を生じさせるための手続、関係者への通知及び換価に必要となる書類の引渡に関する手続について、次のイ～ハの権利者ごとに、この設例に沿った上で、趣旨(理由)を付して説明しなさい。

なお、実施する手続がない場合には、その旨を答えなさい。

イ　X税務署長

ロ　D年金事務所長

ハ　E市長

問2

乙土地の公売に伴う各債権者に対する換価代金の配当額を、計算過程とその根拠を示して答えなさい。なお、滞納国税、滞納地方税及び滞納保険料は、差押え又は参加差押え時点と変動はない

〔第二問〕　－50点－

次の設例を共通の前提として、以下の問１及び問２のそれぞれの事実に基づき、各問に答えなさい。なお、解答に当たり、延滞税、利息等の額及び土日、休日等を考慮する必要はない。また、令和元年分の申告所得税に関しては、期限の延長はされていないこととする。

［設　例］

小売業を営む納税者Ａは、平成30年分の申告所得税の修正申告書(納税額150万円)を令和元年11月30日にＹ税務署長に提出したが、現在、Ａは当面必要な事業資金以外に50万円しかなく、残額については即時に納付することが困難な状況であった。

なお、Ａは、修正申告書を提出した時点において、上記修正申告分以外の滞納はない。

また、Ａは、自宅兼事業所である不動産(評価額500万円)を所有している。

問１　納税者Ａは、修正申告書を提出した日に納付可能額50万円を納付したが、残額については、事業の状況から毎月末20万円の分割納付をしたいと考えている。

修正申告書の提出時において、Ａが行うことができる国税徴収法の措置として考えられるものについて、その要件及び手続(Ａが提出すべき書類及び当該書類の記載内容)を簡潔に説明しなさい。

問２　納税者Ａは、令和元年12月1日から令和2年4月30日まで、国税徴収法上の措置に基づき、毎月末20万円を分割納付することとなった。Ａは、令和２年２月分までは順調に分割納付を行っていたものの、令和２年３月５日、突然、取引先Ｂが倒産したため、取引先Ｂに対する売掛金の回収ができなくなった。

Ａは、令和元年分の申告所得税の確定申告書(納税額30万円)を令和２年３月13日に提出したが、上記売掛金の回収不能により即時の納付が困難であり、納税額全額について、確定申告書の提出と一緒に換価の猶予を申請した(申請書の記載に不備はなく、添付書類の不足もない。)

Ａは、令和２年３月以降の納付資金は毎月10万円が精一杯の状況であるところ、まずは平成30年分の申告所得税(修正分)の残額を分割納付し、その後、令和元年分の申告所得税(確定分)について、引き続き、分割納付したいと考えている。

この場合において、Ｙ税務署長がとるべき措置について、理由を付して答えなさい。

なお、令和２年分の予定納税については、考慮する必要はない。

〔第二問〕　－60点－

次の設例において、滞納国税を徴収するため、国税徴収法上考えられる徴収方途について、その根拠を示して説明しなさい。なお、土日、祝日等は考慮する必要はない。また徴収手続について説明する必要はない。

［設例］

1　建設業を営む株式会社甲は、平成31年4月20日現在、次の国税を滞納していた。

(1)　平成29年9月期法人税の確定申告分：300万円
（法定納期限：平成29年11月30日、確定申告書提出日：平成29年11月30日）

(2)　平成28年9月期消費税及び地方消費税の修正申告分：500万円
（法定納期限：平成28年11月30日、修正申告書提出日：平成30年11月30日）

(3)　平成29年9月期消費税及び地方消費税の修正申告分：1,700万円
（法定納期限：平成29年11月30日、修正申告書提出日：平成30年11月30日）

(4)　平成30年9月期消費税及び地方消費税の確定申告分：600万円
（法定納期限：平成30年11月30日、確定申告書提出日：平成30年11月30日）

2　X税務署の徴収職員は、滞納国税を徴収するため、株式会社甲の財産調査を実施したところ、次の事実が判明した。

(1)　株式会社甲の発行株式は、全部で100株であり、代表取締役であるAが60株、B（Aの長男）が30株、C（Aの弟）が10株を保有している。

(2)　株式会社甲は、平成31年3月25日付で解散登記を行っており、清算人には、A及びCが就任している。

3　X税務署の徴収職員は、平成31年4月20日、清算人であるAと面接し、次の事実を把握した。

(1)　株式会社甲は、平成31年3月15日、株主総会を開催し、同日をもって解散することを決議し、清算人にA及びCを選任した上で、同月25日、その旨の登記を行った。

なお、Cは、清算人に就任したものの、財産の処分及び分配等には一切関与せず、Aに一任していた。

(2)　清算人であるAは、次のとおり、株式会社甲の清算手続を行っていた。

イ　平成31年3月30日、Z銀行に預けていた定期預金500万円を解約し、分配金として、400万円をAの預金口座へ、100万円をBの預金口座へ振り込んだ。

ロ　平成31年4月2日、建設機械3台（帳簿価額：1,000万円）を、200万円の借入金債務を負っていた株式会社乙に対して譲渡し、債務清算後の400万円を受領し、分配金として、A及びBの預金口座へそれぞれ200万円を振り込んだ。

なお、株式会社乙は、D（Aの妻）が代表者を務め、Dを判定の基礎として同族会社に該当する会社である。

ハ　平成31年4月6日、Cに対する貸付金債権100万円について、債権放棄をした。

ニ　平成 31 年４月 13 日、取引先である株式会社丙に対する売掛金債権 300 万円の支払として、現金を受領し、Ｅ（Ａの長女）の預金口座へ振り込んだ。

なお、Ｅは、Ａと同居しているものの、Ｅ自身で生計を維持していると認められた。

4　Ｘ税務署の徴収職員は、Ａとの面談後、再度調査等を行ったところ、次の事実を把握した。

⑴　株式会社乙に譲渡した建設機械３台の譲渡時の時価は 1,500 万円であった。なお、株式会社乙は、建設機械３台の譲受のために支払った費用等はなかった。

⑵　株式会社丁に対する未回収の売掛金 400 万円（平成 31 年２月分、履行期限：平成 31 年４月 30 日。なお、当該売掛金には、譲渡禁止特約は付されていない。）を把握した。

ただし、株式会社丁は、平成 31 年２月 28 日、株式会社戊から、「登記事項証明書」を添付した債権譲渡契約書を受け取っていた。主な登記事項証明の内容は次のとおりであった。

（譲　　渡　　人）：株式会社甲、　（譲　　受　　人）株式会社戊

（登記原因日付）：平成 30 年 10 月 25 日、（登　記　原　因）：譲渡担保

（債 権 の 総 額）：10,000,000 円、（登記年月日時）：平成 30 年 10 月 28 日 11 時 10 分

（原　債　権　者）：株式会社甲、　（債　　務　　者）：株式会社丁

（契 約 年 月 日）：平成 30 年 10 月 25 日

（債権の発生年月日（始期））：平成 30 年 11 月 1 日

（債権の発生年月日（終期））：令和３年 10 月 31 日

（注）上記、債権譲渡契約及び債権譲渡登記は有効なものとする。

⑶　清算手続きにより振り込んだＡ、Ｂ及びＥの預金口座は、既に解約済みであった。

⑷　その他、株式会社甲が所有する財産はなかった。

〔第二問〕　－50点－

次の設例を共通の前提として、下記の**問１**、**問２**のそれぞれの事実関係に基づき、各問に答えなさい。

なお、解答に当たり、延滞税、利息等の額及び土日、休日等を考慮する必要はない。

［設例］

1　卸売業を営む滞納者Ｅは、譲渡所得に係る所得税（平成29年分）180万円について換価の猶予を申請し、平成30年４月１日から９月30日まで、換価の猶予に基づき、毎月末30万円の分割納付をすることとなった。

2　Ｆ税務署長は、換価の猶予に係る所得税について、次の財産に抵当権の設定を受けている。

乙土地　：　所有者　Ｇ（滞納者Ｅの親族）
評価額　500万円
抵当権　第１順位　Ｈ銀行、被担保債権額300万円
平成29年７月１日登記
第２順位　Ｆ税務署長、被担保債権額180万円
平成30年４月１日登記

問１　換価の猶予を受けた後、滞納者Ｅは平成30年６月分まで順調に分割納付を行っていたものの、自身の趣味のために、バイク（評価額150万円）をローンで購入したほか、借金をして等身大のフィギア（評価額50万円）を購入したため、資金不足となり、平成30年７月分の分割納付金額30万円を納付できなかった。

この場合において、Ｆ税務署長が滞納者Ｅの所得税を徴収するためにとるべき措置、及びその措置により徴収することができる金額について、理由を付して答えなさい。

問２　換価の猶予を受けた後、滞納者Ｅは平成30年６月分まで順調に分割納付を行っていたものの、従来から継続して納品していた商品について、突如、取引先の都合により受注が減少し、平成30年７月分以降に調達することができると見込まれる納付資金は、毎月20万円が精一杯の状況となった。

このような状況の下、滞納者Ｅは、平成30年７月分以降は、毎月末20万円を分割納付したいと考えている。

この場合において、Ｆ税務署長がとるべき措置について、理由を付して答えなさい。

〔第二問〕 －50点－

次の設例について、以下の各問に答えなさい。

なお、解答に当たり、延滞税及び遅延損害金の額を考慮する必要はない。

また、解答は答案用紙の指定欄に記載すること。

［設例］

1　個人事業者であったAは、申告所得税（平成 27 年確定分、法定納期限：平成 28 年3月 15 日）1,000 万円を滞納している。

2　滞納者Aは、所有する自家用車が故障したため、平成 28 年9月1日、P株式会社に修理を依頼した。

P株式会社が修理中の滞納者Aの自動車をX税務署長が差し押さえ、その後、修理は完了したものの、滞納者Aが修理代金（100 万円）を支払わないため、P株式会社が引き続き自動車（評価額：800 万円）を占有している。

3　滞納者Aは、平成 27 年 11 月1日に、自身の事業用の財産を売却して得た資金をQ株式会社に出資し、相当の対価として同社の株式 100 株を取得した。

Q株式会社は、平成 26 年 12 月1日に滞納者Aと長男Bが設立した会社であり、上記の増資（設立後、初めての増資）後の発行済株式総数 500 株のうち、滞納者Aが 150 株、長男Bが 350 株を有している。

X税務署長は、滞納者Aの有するQ株式会社の株式 100 株を差し押さえたものの、非上場株であって、市場性が乏しく、実際に平成 28 年 10 月と 11 月に実施した公売でも、入札はなかった。

なお、Q株式会社は、定款において株券を発行する旨の定めはなく、現在の総資産額は 8,000 万円、総負債額は 6,500 万円、資本金の額は 1,200 万円である。

4　滞納者Aは、R国に所在する土地（評価額：400 万円）を別荘用地として購入している。

なお、R国との租税条約には、徴収の共助に関する規定が設けられている。

5　滞納者Aの財産は、上記2から4までに記載したもの以外はないものとする。

問1　X税務署長が設例の自動車を換価するに当たり、これを占有するための措置を答えなさい。

また、その自動車の換価により徴収することができる金額とその理由を設例に即して答えなさい。

問2　設例の自動車に関するものを除き、X税務署長が滞納者Aの国税を徴収するためにとり得る措置（詐害行為取消権の行使を除く。）とその要件を設例に即して答えなさい。

また、その措置により徴収することができる金額とその理由を設例に即して答えなさい。

〔第二問〕　－50点－

問１　甲は所得税500万円（平成26年分の期限内申告）を滞納していたところ、平成28年7月1日に死亡した。

甲の遺産は、A株式（上場株式：評価額800万円）のみである。

甲の相続人は、子である乙と丙の２名であり、相続について、乙は単純承認、丙は放棄をしている。

乙はB不動産（評価額600万円）、丙はC不動産（評価額1,000万円）を所有しており、他に固有の財産はない。

⑴　この場合に税務署長は、どの財産からどれだけの額を徴収すべきか、理由を付して答えなさい。

なお、延滞税の額を考慮する必要はない。

⑵　仮に、税務署長がB不動産を差し押さえた場合において、乙が税務署長に対して請求することができる手続を事例に即して説明しなさい。

問２　甲は所得税500万円（平成26年分の期限内申告）を滞納していたところ、平成28年7月1日に死亡した。

甲の遺産は、D不動産（評価額1,200万円）のみであり、抵当権X（債務者は甲、被担保債権額400万円、平成25年10月1日設定）が設定されている。

甲の相続人は、乙のみであり、乙は相続について単純承認をしている。

乙は、E株式（上場株式：評価額500万円）を所有しており、他に固有の財産はない。

この場合に税務署長は、どの財産からどれだけの額を徴収すべきか、理由を付して答えなさい。

なお、延滞税、被担保債権の利息等の額のほか、土日、休日等を考慮する必要はない。

問３　甲は所得税①（平成26年分の期限内申告）500万円を滞納していたところ、平成28年7月1日に死亡した。

甲の遺産は、F不動産（評価額700万円）のみであり、抵当権Y（債務者は甲、被担保債権額400万円、平成25年10月1日設定）が設定されているほか、平成27年12月1日に所得税①に係る差押えがされている。

甲の相続人は、乙のみであり、乙は相続について限定承認をしている。

乙は、所得税②（平成24年分の期限内申告）400万円を滞納しており、唯一の固有財産であるG不動産（評価額200万円）について、平成26年9月1日に税務署長が差押えをしている。

この場合に税務署長は、所得税①及び②について、それぞれどの財産からどれだけの額を徴収することができるのか、理由を付して答えなさい。

なお、延滞税、被担保債権の利息等の額のほか、土日、休日等を考慮する必要はない。

ネットスクール

令和６年度　税理士試験

国税徴収法　ラストスパート模試

〈第１予想〉

◆難易度、時間配分及びボーダーラインの目安

	難易度	時間配分	ボーダーライン
第一問	★★★☆☆	70分	35点
第二問	★★★☆☆	50分	35点

◆出題のポイント

・第一問

問１：保険金に対する差押の効力は抵当権等に関する物上代位の記述ができたか、換価制限は記述内容が多いので漏れが無いかを点検してください。

問２：両者の相違点が明確に記述できるどうかが出題の趣旨です。相違する理由も含めて、これらが正確にできているかを確認してください。

問３：昨年の問題では時効成立の日付を求める出題が行われています。今回はこれを意識して保全できる具体的な日付を問うています。この日付が間違っていないかを中心に採点してください。

・第二問

設問１：法定納期限等以前に設定された質権についてその限度額と登記できない質権の証明方法についての記述がポイントになります。

設問２：質権では必ず取り上げられる優先権行使の否認に関する出題です。これを正確に説明できているかを確認してください。

設問３：一部民法が関係することになりますが、解答では配当順位とその金額が重要です。まずはこれが正しいかどうかを自己採点で点検してください。

〔第一問〕－60 点－

問１

(1)　公売実施適正化の措置について（10 点）

1.　公売参加者の制限

税務署長は、公売への参加、買受代金の納付等を妨げた者、不当に連合した者など、一定の事項に該当すると認められる事実がある者については、その事実があった後２年間、公売の場所に入ることを制限し、若しくはその場所から退場させ、又は入札等をさせないことができる。❸

このほか、その事実があった後２年を経過しない者を使用人その他の従業者として使用する者及びこれらの者を入札等の代理人とする者についても、同様とする。❷

2.　暴力団員等に該当しないことの陳述 ❶

公売不動産の入札等をしようとする者は、暴力団員でないことなどを陳述しなければ、入札等をすることができない。

3.　処分の取り消し ❶

公売の参加を制限された者の入札等、又はその者を最高価申込者等とする決定については、税務署長は、その入札等がなかったものとし、又はその決定を取り消すことができるものとする。

4.　公売保証金の国庫帰属 ❶

上記3.の取消処分を受けた者が納付した公売保証金があるときは、その公売保証金は、国庫に帰属する。

5.　入札者等の身分に関する証明の要求 ❶

税務署長は、上記1.に関し必要があると認めるときは、入札者等の身分に関する証明を求めることができる。

6.　最高価申込者等の取消 ❶

税務署長は公売不動産の最高価申込者等又は自己の計算において最高価申込者等に公売不動産の入札等をさせた者が暴力団員等であると認める場合には、これらを最高価申込者等とする決定を取消すことができる。

(2) 差押が行われた場合の果実と保険金等に対する効力（10点）

1. 差押が行われた場合の果実に対する効力

(1) 天然果実に対する効力

差押の効力は、差押えた財産から生ずる天然果実に及ぶ。❶

ただし、滞納者又は第三者が差押財産の使用又は収益をすることができる場合には、その財産から生ずる天然果実については、この限りでない。❶

(2) 法定果実に対する効力

差押の効力は、差押財産から生ずる法定果実に及ばない。❶

ただし、債権を差し押えた場合における差押後の利息については、この限りでない。❶

2. 差押がされた場合の保険金等に対する効力

(1) 損害保険金等の請求権に対する効力

差押財産が損害保険等の目的となっているときは、その差押えの効力は、保険金等の支払を受ける権利に及ぶ。❷

ただし、損害保険等の目的物を差し押さえた旨を保険者等に通知しなければ、その差押えをもって保険者等に対抗することができない。❶

(2) 抵当権等が設定されていた場合の物上代位の特則 ❸

徴収職員が差押に係る上記(1)の保険金等の支払を受けた場合において、その財産がその保険等に係る事故が生じた時に先取特権、質権又は抵当権の目的となっていたときは、その先取特権者、質権者又は抵当権者は、民法における先取特権の物上代位の権利の行使のためその保険金等の支払を受ける権利を、その支払前に差押をしたものとみなす。

(3) 換価の制限（10点）

1. 財産の性質上換価が制限されるもの

(1) 果実は成熟した後、蚕は繭となった後でなければ、換価をすることができない。❶

(2) (1)の規定は、生産工程中における仕掛品で、完成品となり、又は一定の生産過程に達するのでなければ、その価額が著しく低くて通常の取引に適しないものについて準用する。❷

2. 第二次納税義務、保証債務に係る国税

第二次納税義務者又は保証人が、第二次納税義務又は保証債務の告知、督促又はこれらに係る国税に関する滞納処分につき訴えを提起したときは、その訴訟の係属する間は、その国税につき滞納処分による財産の換価をすることができない。❷

なお、譲渡担保権者がこの告知又は滞納処分につき訴えを提起した場合、仮登記の権利者に対する差押えの通知（担保のための仮登記に係るものに限る。）に係る差押えにつき、仮登記の権利者から訴えの提起があった場合も同様とする。❷

3. 不服申立に関するもの ❸

国税の徴収のため差押えた財産の滞納処分による換価は、その財産の価額が著しく減少するおそれがあるとき、又は不服申立人から別段の申出があるときを除き、その不服申立についての決定又は裁決があるまでは、することができない。

問２ (15点)

1. 財産の差押換と交付要求の解除請求の概要について

(1) 財産の差押換の請求

次のすべての要件に該当するときは、その第三者は、税務署長に対し、その財産の公売公告の日(随意契約による売却をする場合には、その売却の日)までに、その差押換を請求することができる。❶

① 質権、抵当権、先取特権(不動産保存の先取特権等又は不動産賃貸の先取特権等に限る。)、留置権、賃借権、配偶者居住権その他第三者の権利(上記の先取特権以外の先取特権を除く。)の目的となっている財産が差し押えられたこと。❶

② 滞納者が他に換価の容易な財産を有していること。❶

③ 他の第三者の権利の目的となっていないものであること。❶

④ その財産によりその滞納者の国税の全額を徴収することができること。❶

(2) 交付要求の解除請求

強制換価手続により配当を受けることができる債権者は、交付要求があったときは、税務署長に対し、次の全ての要件に該当することを理由として、その交付要求を解除すべきことを請求することができる。❶

① その交付要求により、自己の債権の全部又は一部の弁済を受けることができないこと。❶

② 滞納者が他に換価の容易な財産で、第三者の権利の目的となっていないものを有しており、かつ、その財産によりその交付要求に係る国税の全額を徴収することができること。❶

2. 両者の相違点とその理由

(1) 両者の相違点

税務署長は、差押換の請求があった場合において、その請求を相当と認めるときは、その差押換をしなければならないものとし、その請求を相当と認めないときは、その旨をその第三者に通知しなければならない。❶

この場合おいて、税務署長から差押換の請求が相当でないとの通知を受けた第三者は、その通知を受けた日から起算して 7 日を経過した日までに、差押えるべきことを請求した財産の換価をすべきことを、税務署長に対して申し立てることができる。❶

一方交付要求は、税務署長は交付要求の解除請求があった場合において、その請求を相当と認めるときは、交付要求を解除しなければならないものとし、その請求を相当と認めないときは、その旨をその請求をした者に通知しなければならない。❶

このように財産の差押換の請求は、その請求は不相当として認められない場合には再度、換価申立てによる保護規定が設けられているのに対して、交付要求の解除請求には不相当の場合には更なる保護規定は設けられていない。❶

(2) 相違する理由

差押えは執行機関である税務署長が自らの権限により行っており、第三者からの差押換の請求があればその判断および権限により差押えの変更を行うことが可能であり、さらに財産換価の順序についても決定権を有している。これにより第三者に差押換の請求を認め、さらに相当の理由があれば換価申立の規定を設け二重の保護を行っている。❶

しかし、交付要求は滞納者の所轄税務署長が、他の執行機関の行った強制換価手続に参画して配当を受けようという滞納処分の手続である。つまり交付要求は税務署長による自らの差押え、及び換価に関する執行権はなくその先行する手続きに追随する配当請求にすぎない。これにより交付要求が行われたことにより自らの配当の一部を受けることができないことになる者に交付要求の解除請求をすることは認めるが、さらにこれについて再度の解除請求、あるいは先行する執行機関が行う強制換価手続の解除請求などはできないとしている。つまり税務署長に差押などを行うという自らの執行権がないために、交付要求の解除請求には換価申立てのような更なる保護規定が設けられていないことになる。❷

問３ (15点)

設問１

1. 保全差押が可能な日付 ❸

所轄税務署では令和６年５月10日以降であれば保全差押をすることが可能である。

2. 保全差押の要件 ❹

納税義務があると認められる者が不正に国税を免れたことの嫌疑に基づき、国税通則法の規定による差押、記録命令付差押若しくは領置を受けており、その処分に係る国税の納付すべき額の確定後においては、その国税の徴収を確保することができないと認められる場合、税務署長はその国税の納付すべき額の確定前に確保すべき金額を保全差押金額として決定し、その所属する国税局長の承認を得た後に、その金額を限度にその者の財産を直ちに差押することができる。

設問２

1. 保全すべき措置とこれが可能な日付 ❸

所轄税務署では国税通則法に定める繰上保全差押を令和６年５月10日以降であれば行うことができる。

2. 繰上保全差押の要件 ❺

税務署長は、納税者が納税義務の成立した国税(課税資産の譲渡等に係る消費税を除く。)につき、偽りその他不正の行為により国税を免れ、若しくは免れようとしており、その確定後においてはその徴収を確保することができないと認めるときは、その国税の法定申告期限前に、繰上保全差押金額(その確定すると見込まれる国税の金額のうちその徴収を確保するため、あらかじめ、滞納処分を執行することを要すると認める金額)を決定し、その所属する国税局長の承認を得た後に、その金額を限度として、その者の財産を直ちに差押えることができる。

〔第二問〕—40点—

設問1 (12点)

1. 法定納期限等以前に設定された質権の優先

納税者がその財産上に質権を設定している場合において、その質権が国税の法定納期限等以前に設定されているものであるときは、その国税は、その換価代金につき、その質権により担保される債権に次いで徴収する。❶

本事例では甲の更正処分の法定納期限等は、その具体的な納期限である令和6年7月3日を考慮すれば、更正通知書を発した日である令和6年6月3日と考えられる。❶

これにより令和6年6月3日以前である令和6年4月10日に設定されたA質権、及び令和6年5月15日に設定されたB根質権が滞納所得税に優先することになる。なおC質権は令和6年6月8日に設定されており法定納期限等の令和6年6月3日後のものであるために滞納所得税には劣後することになる。❶

2. 登記できない質権の証明について

上記1.の取扱いは、登記(登録及び電子記録を含む。以下同じ。)をすることができる質権以外の質権については、質権者が、強制換価手続において、執行機関に対し、質権設定の事実を証明した場合に限り適用する。❶

滞納処分にあって、この証明をしようとするときは、その事実を証する書面又はその事実を証するに足りる事項を記載した書面を売却決定の日の前日までに税務署長に提出しなければならない。❶

この場合において、有価証券を目的とする質権以外の質権については、その証明は、次に掲げる書類によってしなければならない。

(1) 公正証書 ❶

(2) 登記所又は公証人役場において日付のある印章が押されている私署証書 ❶

(3) 郵便法の規定により内容証明を受けた証書 ❶

(4) 公証人法の規定により交付を受けた書面 ❶

3. 想定される換価代金の配当見込額

本問では設例による状況により換価代金を 80 万円と想定すれば各質権者、及び滞納国税に配当されるその見込額は下記の通りとなる。

（配当見込額）

第１順位	A 質 権	20 万円	❶
第２順位	B 根 質 権	50 万円	❶
第３順位	滞納所得税	10 万円	❶
	計	80 万円	

設問２ (12 点)

1. 国税に優先する質権に関する優先権の否認

納税者がその財産上に質権を設定している場合において、その質権が国税の法定納期限等以前に設定されているものであるときは、その国税は、その換価代金につき、その質権により担保される債権に次いで徴収される。❶

この国税に優先する質権を有する者は、所定の証明をしなかったため国税におくれる金額の範囲内においては、国税に優先する後順位の質権者に対して優先権を行使することができない。❸ これはＡ質権及びＢ根質権は滞納国税の法定納期限等以前に設定されており国税には優先するが、優先するＡ質権がその証明ができなければ、滞納国税にはもちろんＡ質権に劣後するＢ根質権にも優先権を行使することができないことを意味する。❷

2. 優先権の行使が否認された配当金額

これにより法定納期限等以前に設定されたＡ質権は設定額が 20 万円であるが、その証明ができた 15 万円の範囲で劣後するＢ根質権と滞納国税に優先するが、証明できなかった 5 万円については滞納国税にはもちろん、劣後するＢ根質権に対しても優先権を行使することはできないことになる。❸

これによれば配当金額は下記の金額となる。

（配当金額）

第１順位	Ａ質権（証明額）	15 万円	❶
第２順位	Ｂ根質権	50 万円	❶
第３順位	滞納所得税	15 万円	❶
	計	80 万円	

設問３　(16 点)

1．債権金額の具体的な確認手続

(1)　債権現在額申立書の提出

差押財産に関して質権を有する者は売却決定の日の前日までにＸ税務署長に対して債権現在額申立書を提出しなければならない。❶

(2)　税務署長による債権額の確認

Ｘ税務署長は提出された債権現在額申立書を調査して、その債権の確認をするものとする。ただし登記することができない質権に担保される債権で知れているもので、債権現在額申立書を提出しないときは、税務署長の調査によりその額を確認するものとする。❷

2．質権の優先額の限度

国税に先だつ質権により担保される債権の元本の金額は、その質権者がその国税に係る差押又は交付要求の通知を受けた時における債権額を限度とする。❷

これによりＢ根質権は差押通知時の債権額 25 万円を限度にして滞納国税に優先することになる。

3．具体的な配当金額

配当はまず証明のあるＢ根質権の差押通知時の債権額 25 万円に行われ、次に滞納国税に 45 万円が配当されることになる。これによる残額 30 万円については、証明のできなかったＡ質権の全額である 20 万円に、さらにその残額はＢ根質権の差押通知時の 25 万円を超える 15 万円に配当される。なお、法定納期限等後のＣ質権については、その順位と換価代金の金額から配当されることはない。❷

この残額 30 万円については、Ａ質権からＣ質権までの私債権間での競合となるために、国税徴収法の規定に関わらず民法により、まず証明ができなかったＡ質権 20 万円が最優先され、次にＢ根質権差押通知時 25 万円と確定時 40 万円の差額 15 万円の内の 10 万円に配当され、最後にもし残余があればＣ質権に配当されることになる。これにより具体的な配当金額は下記の通りになる。❸

(配当金額)

第１順位	Ｂ根質権の被担保債権	25 万円…差押通知時	❶
第２順位	滞納所得税	45 万円	❶
第３順位	Ａ　質　権	20 万円	❷
第４順位	Ｂ 根 質 権	10 万円	❷
第５順位	Ｃ　質　権	0	
		100 万円	

〈解　説〉

〔第一問〕

問１

(1)　公売実施適正化の措置について

公売は多くの参加希望者により見積価額を超え、できるだけ高い金額により最高価申込者を決定し、最終的には売却決定の日に買受代金を円滑に納付させることが理想です。このために公売保証金の納付や再度入札、また、次順位買受申込者制度などこれらの手続が滞りなく進むように様々な制度が設けられています。これら制度の中で国税徴収法第108条において公売実施適正化の措置についての規定が存在します。これにより公売から参加不適切者を排除することとしています。

解答に示す通り公売参加者の制限から最高価申込者等の取消まで、あくまでも公売実施に際して不適切な事案が発生した場合に、その公売を取消しするなどの各規定を設けています。近年これに第99条の２として暴力団員等排除を目的とした規定が加えられているので、この点も漏れなく解答してください。

(2)　差押が行われた場合の果実と保険金等に対する効力

差押の要件や本問の差押の効力は滞納処分の基本的な問題であり、受験生であれば正確な記述が求められます。しかしながら差押の効力は、果実に関するものは正確に記述をすることができても、保険金等に対する請求権や物上代位の特則、あるいは相続があった場合の滞納処分の効力などについては、その記述に少々不安があります。本問の自己採点でも保険金等の部分で失点をしているという受験生も少なくないと思われます。この差押の効力は本年度に出題が予想される範囲でもあり、できるだけ早期に完璧な暗記をすることが課題だと考えてください。

(3)　換価の制限

滞納処分の目的に鑑みれば、差押財産はできるだけ高額で売却できる財産であるべきです。そうであれば取引の一般的常識あるいは慣行から差押財産は換価の対象になる物、あるいは換価にふさわしい状態が理想ということになります。そこで、国税徴収法第90条において、未成熟の果実等や生産工程中の仕掛品については一般的な販売状態ではないために、換価財産の対象とすべきではないという換価制限の規定を設けています。

また、第二次納税義務の賦課や保証人からの徴収などについて訴えの提起があった場合には、第二次納税義務及び保証債務の特殊性などを考慮して、その換価が制限されています。同様に譲渡担保権者の物的納税責任に関して、あるいは、国税に関する処分に対する不服申立てがあった場合にも換価制限の規定があります。

更に模範解答にはありませんが、国税徴収法第50条第３項の第三者からの差押換を容認しなかった場合、あるいは、国税通則法第48条第１項、国税徴収法第152条の納税、若しくは換価の猶予についても猶予期間は換価の制限が行われます。

問2

差押えは執行機関である税務署長が自らの意思と権限により行うことができます。これにより第三者からその権利を害したことを理由に差押換の請求があればその判断および権限により差押えの変更を行うことが可能です。

また、複数の財産を差押えていれば、その換価順序についてもその意思により決定することができます。税務署長はこの権限を有することを根拠にして、第三者の権利の保護のために差押換の請求を認め、さらに差押換の請求を認めなくても相当の理由があれば換価申立により換価の順序について配慮する規定が設けられています。

これに対して交付要求は他の執行機関の行った強制換価手続に参画して配当を受けようという滞納処分の手続です。つまり税務署長は自ら差押えおよび換価に関する執行権は有していないことになります。しかしながら税務署長が交付要求を行ったことにより、第三者がその配当の一部を受けることができないことになるのであれば、その保護のために交付要求の解除請求をすることを認め、それが妥当であれば、交付要求を解除することになります。

しかし、第三者からこの交付要求の解除請求がされたとしても、その要件を満たさないような場合はこれを解除することはありません。交付要求は税務署長が自ら滞納処分を行っているわけではないので、当然ながら先行する執行機関が行う強制換価手続の中止や財産変更などを認めることはできません。つまり交付要求は税務署長自らの強制換価に関する執行権がないために、第三者は交付要求の解除請求をすることはできるが、更なる換価申立てのような規定を設けることはできないということになります。

本問の出題の趣旨は交付要求には解除の請求ができるが、差押換えの請求の次に行うことができる換価申立てのような保護規定がないことを記述することです。この点が明確に記述できているかを点検してください。

問3

国税に関する保全措置には逋脱行為を理由として行うことができるものがあり国税通則法の繰上請求、繰上保全差押、さらに国税徴収法には保全差押や繰上差押の規定があります。これらは法定納期限の前後により区別することができ、法定納期限前であれば繰上請求と繰上保全差押が、また法定納期限後であれば繰上差押と保全差押に分類できます。また、税額が確定しているかどうかで区分することもでき、税額未確定の保全は繰上保全差押と保全差押が、また、税額確定済であれば繰上請求と繰上差押に分類することができます。

本問では前期分の法人税等に逋脱行為があったことを理由にして法定納期限である令和5年5月31日後の令和6年5月10日に国税通則法に規定する強制的な捜索が行われています。前期分の納税義務はすでに成立しているので直ちにその税額を確定させれば、その保全のためには国税徴収法の保全差押を行うことが可能です。

また、第11期である令和5年4月1日から令和6年3月31日までの事業年度の法人税等については、すでに納税義務は令和６年３月31日に成立していますが、法定納期限は令和６年５月31日です。この時に強制的な捜索が令和６年５月10日に行なわれており、申告による税額確定前であっても法定納期限後にその徴収を確保することができないと認めるときは国税通則法に定める繰上保全差押をすることが考えられます。

これら両者は実務上は税額の具体的な算定や上級機関の国税局長の承認を得なければならないために即手続を行うことはありません。しかし、理論的には令和６年５月10日に逋脱行為により国税通則法の捜索がおこなわれているので同日以降にその差押は可能ということなります。

解答の問１の記述では要件の中にある国税の還付を受けたという個所、また刑事訴訟法の規定による押収、領置若しくは逮捕という記述を挙げていません。同様に問２の繰上保全差押の解答では、その要件である繰上請求の客観的事実の６項目を全て列挙することはしていません。事例によれば国税通則法による捜索が行われているという記述がありますから、あえて逋脱行為のみ挙げて強制換価手続の開始など他の５項目は解答を省略しています。また、同様に逋脱行為については、国税を不正な行為により免れ、若しくは免れようとしているという部分しか解答せず、あえて還付に関しての記述もありません。もちろん繰上請求の事実の６項目全てを記述しても構いませんが、丸暗記理論の記述という印象は拭えません。したがって、事例問題の解答では必要な事項の記述が行われていれば答案としては十分だと考えてください。

〔第二問〕

本問は国税徴収法第15条の法定納期限等以前に設定された質権の優先と第18条質権及び抵当権の優先額の限度等の規定を基礎とした出題です。質権は抵当権と異なり登記できるものとできないものがあり、登記できない質権は証明が必要です。また質権と根質権が関係する場合には、その配当金額の計算には一部民法の規定なども必要になり、これらは基本通達により説明されています。今回はこれらを基本にして３つの設問を出題しています。

設問１

設例では法定納期限等以前に国税に優先する質権と根質権が設定され、法定納期限等後にさらに質権が設定されています。当然ながら法定納期限等以前に設定された２つの質権は国税に優先することになりますが、そのためには証明が必要です。

問題では「配当可能となる質権者にはどのような条件が必要であるかを説明し」とありますから第15条第１項の法定納期限等以前の質権の優先と同条第２項の証明に関する規定を記述することになります。とくに証明に関する部分は公正証書からの４項目の記述はできると思われます。さらにその証明を書面により売却決定の日の前日までに行わなければならいという国税徴収法施行令第４条の内容にも触れなければなりません。自己採点ではこの箇所の点検をしてください。

また、配当金額については特段問題になるものはありません。一点考慮するとすれば更正処分による所得税の法定納期限等が、その具体的な納期限である令和６年７月３日の１月前の令和６年６月３日であることです。また設問１ではＢ根質権が極度額 50 万円であり、確定額をこの 50 万円とする旨の記載がありますから、この金額により配当金額を計算することになります。

設問２

この設問２の出題の骨子は国税徴収法第 15 条第４項の優先権行使の否認に関する内容です。この第 15 条第４項は、国税に優先する質権者（登記をすることができる質権以外の質権を有する者に限る。）が２つ以上ある場合において、先順位質権者が法 15 条第２項の質権設定の証明をしなかったために国税に劣後することになるときは、私法上の質権の優先順位にかかわらず、その劣後することとなる金額の範囲内において、国税に優先する後順位質権者に対して優先権を行使することができないことを定めたものです。

この場合の「劣後することとなる金額の範囲内」とは、先順位質権者が、その質権が国税に優先することを証明しなかったため、国税におくれることとなった結果、換価代金から配当を受けられなくなった金額を示します。また、「優先権を行使することができない」とは、先順位の質権は、後順位の質権に優先する私法上の原則にかかわらず、先順位の質権者が後順位の質権者に劣後することを意味します。

これらは具体的に基本通達の第 15 条関係 38 の〔例１〕により下記の通り説明されています。

〔例１〕

下記の場合に、第１順位の質権者が質権により担保される債権 30 万円につき証明せず、第２順位の質権者が 40 万円につき証明をしたとします。

第１順位	質権の被担保債権	30 万円…証明無し
第２順位	質権の被担保債権	40 万円…証明有り
第３順位	滞　納　国　税	25 万円
	換　価　代　金	80 万円

この場合には、まず第２順位の質権の被担保債権に 40 万円を充て、次に第３順位の国税に 25 万円を充てることになります。そして残余金 15 万円は、第１順位の質権の被担保債権に配当します

本問の設問２では第２順位の質権が根質権となっていますが被担保債権の金額を極度額の 50 万円とする旨の記述がありますから上記の基本通達と同様の取扱いをして構わないことになります。自己採点ではこの配当順位と金額よりも、第４項の優先権行使の否認についての記述が詳細にできているかを点検してください。

設問３

ここでは質権の証明の有無とさらに第 18 条の根質権の優先額の限度に関連させた出題を行っています。

この事例も基本通達において下記の通り説明が行われています。

〔例２〕

下記の場合に、第１順位の質権者が証明せず、第２順位の根質権者が証明をしたとします。

第１順位……………………………………………… 50 万円

第２順位　根質権（極度額 20 万円）｛差押通知時の債権額……… 5 万円／配当時の債権額………… 15 万円｝

第３順位……………………………………………… 40 万円

換価代金……………………………………………… 100 万円

この場合には、まず根質権の差押通知時の被担保債権に５万円、国税に 40 万円を順次充て、次に、私法上の原則に従って第１順位の質権の被担保債権に 50 万円を充て、残余金５万円を根質権の被担保債権に充てることになります。

本問でもこの基本通達の例により配当金額を求めることになります。解答に当たり注意しなければならないのは証明ができないＡ質権をどのように取扱うかという点です。Ａ質権は証明がありませんから、当然ながら滞納国税には優先権はありません。ただし、Ａ質権は後順位のＢ根質権には民法上では優先権はあります。しかし、国税徴収法の優先権行使の否認の規定によりその優先権を行使することはできません。

これにより配当額は第１順位としてＢ根質権の差押通知時の被担保債権へ 25 万円、第２順位が滞納国税 45 万円として確定します。この配当によっても換価代金の残余が 30 万円（＝100 万円－25 万円－45 万円）あるために、これをＡ質権とＢ根質権へ配当することになります。

ここで注目しなければならないのは、国税徴収法第 15 条と第 18 条により最優先するＢ根質権へは第１順位として差押通知時の 25 万円が、次に第２順位として滞納国税へ全額 45 万円の配当が行われており、この段階で国税徴収法に規定する配当金額の結論は出ていることになります。

しかし、換価代金の残余がまだ 30 万円ありますので、これは民法により配当額を決定するということになります。民法では国税徴収法における証明の有無や差押通知時の債権額という規定はありません。質権相互間には単純に設定の順序により優先権があるだけです。したがって、先順位のＡ質権へ優先的に 20 万円、残りの 10 万円はＢ根質権へ配当されることになります。

これを基本として設問３の配当金額の結果になりますが、特にこの配当順位の考え方が重要ですから理論的な説明ができるようにしてください。

令和６年度　税理士試験
国税徴収法　ラストスパート模試

〈第２予想〉

第２予想（解答・解説編）

◆難易度、時間配分及びボーダーラインの目安

	難易度	時間配分	ボーダーライン
第一問	★★★★☆	70分	30点
第二問	★★★☆☆	50分	30点

◆出題のポイント

・第一問

問１：捜索と罰則規定は本年度に出題が予想される理論です。詳細まで正確に記できているかを確認してください。担保権は引受の方に要注意です。

問２：優先の根拠ですから具体的な規定はありません。出題は租税の基本的な考え方が理解できているかを求めています。個々の根拠を確認しておきましょう。

問３：受験生はこの「害するケース」ということが理解できていない場合が多いので、本問でその内容の理解度合いを点検してください。

・第二問

設問１：被相続人の滞納処分は引き継がれることが基本です。本問ではこれを明確に記述できているかがポイントになります。

設問２：被相続人の滞納所得税の法定納期限等と基準にして、その前後にある抵当権との優劣による配当順位を解答することになります。

設問３：被相続人の滞納国税を相続人の固有財産から徴収する場合の法定納期限等を理解できているか確認してください。

設問４：相続における限定承認が行われた場合の取扱いついて解答することになります。

設問５：第三者の差押換の請求との相違点が理解できているかを点検してください。

〔第一問〕 －60点－

問１

(1)　捜　索　(25点)

1.　捜　索 ❷

徴収職員は、滞納処分のため必要があるときは、滞納者の物又は住居その他の場所につき捜索することができる。

2.　第三者に捜索ができる場合

徴収職員は、滞納処分のため必要がある場合には、次のいずれかに該当するときに限り、第三者の物又は住居その他の場所につき捜索することができる。❶

(1)　滞納者の財産を所持する第三者がその引渡をしないとき。❶

(2)　滞納者の親族その他の特殊関係者が滞納者の財産を所持すると認めるに足りる相当の理由がある場合において、その引渡をしないとき。❶

3.　身分証明書の提示等

(1)　身分証明書の提示 ❶

徴収職員は、捜索をするときは、その身分証明書を携帯し、関係者の請求があったときは、これを提示しなければならない。

(2)　徴収職員の権限 ❶

徴収職員による捜索の権限は、犯罪捜査のために認められたものと解してはならない。

4.　捜索の方法

(1)　金庫、戸などの開扉 ❶

徴収職員は、捜索に際し必要があるときは、滞納者若しくは第三者に戸若しくは金庫その他の容器の類を開かせ、又は自らこれらを開くため必要な処分をすることができる。

(2)　捜索の立会人

徴収職員は、捜索をするときは、次の者を立ち会わせなければならない。

①　その捜索を受ける滞納者若しくは第三者又はその同居の親族若しくは使用人その他の従業者で相当のわきまえのあるもの ❶

②　上記①の者が不在であるとき、又は立会に応じないときは、成年に達した者二人以上又は地方公共団体の職員若しくは警察官 ❶

5.　出入禁止

徴収職員は、捜索、差押又は差押財産の搬出をする場合において、これらの処分の執行のため支障があると認められるときは、これらの処分をする間は、次に掲げる者を除き、その場所に出入することを禁止することができる。❶

(1)　滞納者 ❶

(2)　差押に係る財産を保管する第三者及び捜索を受けた第三者 ❶

(3)　上記(1)、(2)に掲げる者の同居の親族 ❶

(4)　滞納者の国税に関する申告、申請その他の事項につき滞納者を代理する権限を有する者 ❶

6.　捜索の時間制限

(1)　時間制限 ❶

捜索は、日没後から日出前まではすることができない。ただし、日没前に着手した捜索は、日没後まで継続することができる。

(2)　時間制限の例外

上記(1)にかかわらず、次のすべてに該当する場合は、日没後でも、公開した時間内は、捜索することができる。❶

①　捜索する場所が、旅館、飲食店その他夜間でも公衆が出入することができる場所であること ❶

②　滞納処分の執行のためやむを得ない必要があると認めるに足りる相当の理由があること ❶

7.　捜索調書の作成

(1)　捜索調書の作成 ❶

徴収職員は捜索したときは、一定の事項を記載した捜索調書を作成しなければならない。

(2)　捜索調書の交付

徴収職員は、捜索調書を作成した場合には、その謄本を次の者に交付しなければならない。❶

①　捜索を受けた滞納者又は第三者 ❶

②　上記①の者以外の立会人があるときはその立会人 ❶

(3)　差押調書 ❶

上記(1)、(2)の規定は、差押調書を作成する場合には、適用しない。この場合、差押調書の謄本を捜索を受けた第三者及び立会人に交付しなければならない。

8.　事業者等への協力要請 ❶

徴収職員は、滞納処分に関する調査について必要があるときは、事業者又は官公署に、その調査に関し参考となるべき帳簿書類その他の物件の閲覧又は提供その他の協力を求めることができる。

(2)　担保権の消滅と引受　（５点）

1.　担保権の消滅 ❶

換価財産上の質権、抵当権、先取特権、留置権、担保のための仮登記に係る権利及び担保のための仮登記に基づく本登記でその財産の差押え後にされたものに係る権利は、その買受人が買受代金を納付した時に消滅する。

2.　担保権の引受け

税務署長は、不動産、船舶、航空機、自動車又は建設機械を換価する場合において、次のすべての要件に該当するときは、税務署長は、その財産上の質権、抵当権又は先取特権（登記がされているものに限る。以下同じ。）に関する負担を買受人に引き受けさせることができる。❶

この場合においては、上記1.の規定は、適用しない。

(1)　差押に係る国税がその質権、抵当権又は先取特権の被担保債権に次いで徴収するものであるとき ❶

(2)　その質権、抵当権又は先取特権の被担保債権の弁済期限がその財産の売却決定期日から６月以内に到来しないとき ❶

(3)　その質権、抵当権又は先取特権を有する者から申出があったとき ❶

(3)　滞納処分を免れる行為に対する罰則　（７点）

1.　納税者の場合 ❷

納税者が滞納処分の執行又は租税条約等による共助対象国税の徴収を免れる目的でその財産を隠ぺいし、損壊し、国の不利益に処分し、又はその財産に係る負担を偽って増加する行為をし、又はその現状を改変して、その財産の価額を減損し、若しくはその滞納処分に係る滞納処分費若しくは租税条約等による共助対象国税の徴収に関する費用を増大させる行為をしたときは、その者は、３年以下の懲役若しくは250万円以下の罰金に処し、又はこれを併科する。

2.　納税者の財産を占有する第三者の場合 ❶

納税者の財産を占有する第三者が納税者に滞納処分の執行又は租税条約等の共助対象国税の徴収を免れさせる目的で1.の行為をしたときも、また1.と同様とする。

3.　1.又は2.の行為の相手方となった第三者の場合 ❶

情を知って1.又は2.の行為につき納税者又はその財産を占有する第三者の相手方となった者は、２年以下の懲役若しくは150万円以下の罰金に処し、又はこれを併科する。

4.　在外者への適用 ❶

1.及び2.(滞納処分の執行に係る部分を除く。)の罪は、日本国外において、これらの罪を犯した者にも適用する。

5. 両罰規定

法人の代表者(人格のない社団等の管理人を含む。)又は法人若しくは人の代理人、使用人、その他の従業者が、その法人又は人の業務又は財産に関して上記に掲げる滞納処分を免れる違反行為をしたときは、その行為者を罰するほか、その法人又は人に対して上記の罰金刑を科する。❶

人格のない社団等についてこれらの規定の適用がある場合においては、その代表者又は管理人がその訴訟行為につきその人格のない社団等を代表するほか、法人を被告人又は被疑者とする場合の刑事訴訟に関する法律の規定を準用する。❶

問2 (8点)

1. 国税の共益費用性 ❷

国税は国家活動の基礎となる財政収入の中心を占めるものであり、法秩序や経済的基盤をなすべき重要な意義を持っており、他の債権に対しては、その権利の確保等を享受させるための最も基本的な共益費用と考えることができる。

したがって、国税を優先して確保することは国家がその目的を達成するための前提条件になり得るものであり、必然的にその優先権を認めている。

2. 国税の無選択性 ❷

私債権は原則的に債権債務者の両者の契約により成立することを基本とする。これにより債権者が債務者を選択することができ、契約により債権金額や弁済期限さらに担保の有無などを自由に決定することができる。

しかし、国税債権は税法の定めるところにより課税要件が充足されれば必然的に発生する。このために債権者である国は債務者を選択するような選択権はなく、一般的な債権と国税債権を同列により位置付けることはできない。このために国税債権を私債権と同列に取扱うことを目的にしてその優先徴収権を保障している。

3. 国税の無対価性 ❷

私債権は基本的に金銭の貸付、あるいは物品の売買等による反対給付を前提にして発生する。しかし、国税債権は税法の定めるところにより、この反対給付を伴わずに発生する。

このために債務者の債務弁済である履行は、反対給付のある私債権の方が優先される可能性が高い。そこで履行の可能性が劣る国税債権を優先徴収権により保護する必要がある。

4. 国税の公示性 ❷

私債権は債権債務者の任意の契約によりその内容が成立する。このときに債権者が債務者の財産を担保とする場合、その公示性が重要な意味を持つことになる。しかし、国税債権は税法の定めるところにより成立し債権債務者間の任意の契約により発生するものではない。

つまり国税債権の発生はある程度の予測は可能であるとしても、これを担保するための公示を要求することは適切ではなく、物的な担保としての公示はなくても私債権に優先させるとしている。

問３　(15 点)

1.　最低金額　❸

本問の換価代金が 1, 100 円以下であれば国税債権への配当はなくＡ～Ｃの抵当権間での配分の問題になるが、1, 101 円以上の場合には、国税債権への配当額が発生することになるため「他の債権を有する者の権利を害する」ことになる換価代金の金額は 1, 101 円以上と考えることができる。

2.　配当金額の内訳

(1)　法定納期限等以前に設定された抵当権の優先　❶

納税者の国税の法定納期限等以前にその財産上に抵当権を設定しているときは、その国税は、その換価代金につき、その抵当権により担保される債権に次いで徴収される。したがって、本事例によるＡ根抵当権、Ｂ抵当権、及びＣ抵当権はいずれも滞納国税の法定納期限等である令和６年３月 15 日以前に設定されているために国税に優先することになる。

(2)　抵当権の優先額の限度等

①　基本的な配当金額

国税に優先する抵当権により担保される債権の元本の金額は、その抵当権者がその国税に係る差押又は交付要求の通知を受けた時における金額を限度とする。したがって、Ａ根抵当権は差押の通知時である 600 円、Ｂ抵当権は同じく 300 円、またＣ抵当権も同様に 200 円がそれぞれ優先額の限度になる。❷

(配当金額)

第１順位	Ａ根抵当権	600 円	
第２順位	Ｂ 抵 当 権	300 円	
第３順位	Ｃ 抵 当 権	200 円	❶
第４順位	滞納所得税	1 円	
	計	1, 101 円	

②　民法を考慮した配当金額

民法の規定により優先するＡ根抵当権が劣後する第２順位のＢ抵当権の配当額、及び第３順位のＣ抵当権の配当額から順次 200 円を「吸い上げて」しまう。これによりＣ抵当権の配当はゼロになる。❷

(配当金額)

第１順位	Ａ根抵当権	800 円	(＝差押通知時 600 円＋吸上げ金額 200 円)
第２順位	Ｂ 抵 当 権	300 円	
第３順位	Ｃ 抵 当 権	0	❶
第４順位	滞納所得税	1 円	❶
	計	1, 101 円	

しかし、上記の配当によれば、国税に優先するはずのＣ抵当権の配当額がゼロであり、劣後する国税が１円の配当を受ける状態になっている。これは第 18 条の「差押通知時の被担保債権額」を基礎として配当金額を定めるが、もし、根抵当権に劣後する抵当権が存在すれば、民法の規定による吸い上げが行われることで上記のような矛盾する結果が発生し、国税に優先するはずのＣ抵当権の権利を害したことになる。

このような状態になるとき第 18 条の差押通知時の金額を限度額とするという規定が、国税に優先するはずの権利者であるＣ抵当権の権利を害したことになると考えることができる。❷

(3)　最終的な配当額

上記のような国税に優先するはずのＣ抵当権の権利を害した時には差押通知時の債権額ではなく、配当時の債権額により配当金額を算出するものとしてＡ根抵当権は 800 円を配当し、Ｂ抵当権は 300 円が、さらにＣ抵当権には１円が配当されることになる。

(配当金額)

第１順位	Ａ根抵当権	800 円	
第２順位	Ｂ 抵 当 権	300 円	
第３順位	Ｃ 抵 当 権	1 円	❶
第４順位	滞納所得税	0	❶
	計	1,101 円	

第2予想（解答・解説）

〔第二問〕－40点－

設問１　（７点）

1.　相続があった場合の滞納処分の効力

滞納者の財産について滞納処分を執行した後、滞納者が死亡したときは、その財産について滞納処分を続行することができる。❷

なお、滞納者の死亡後その国税につき滞納者名義の財産に対してした差押えは、その国税につきその財産を有する相続人に対してされたものとみなす。ただし、徴収職員がその死亡を知っていたときは、この限りではない。❷

2.　本事例の効力の有無

本事例の場合には滞納者の死亡が令和５年４月20日であり、その所有する土地甲に対する差押えが令和５年６月５日であることから、死亡後の差押に該当することになるが、その差押えの効力は有効となる。ただし、徴収職員がその死亡を知って行った差押えは、その効力を有しないことになる。❷

なお、本問では徴収職員の被相続人の死亡に関する認識についての記述はないが、被相続人の死亡を知り得なかったと推定した。❶

設問２　（８点）

1.　被相続人の滞納国税と生前の抵当権の関係

相続（包括遺贈を含む。以下同じ。）があった場合には、相続人はその被相続人（包括遺贈を含む。）に課されるべき、又はその被相続人が納付し、若しくは徴収されるべき国税（滞納処分費を含む。）を納める義務を承継する。❷

このときに被相続人の国税を相続財産から徴収する場合、被相続人の滞納国税と相続財産上の抵当権の関係は滞納国税の法定納期限等の前後により確定している。❶

2.　配当見込額

本事例では被相続人の滞納所得税の法定納期限等は令和５年３月15日であり、この前後に抵当権イが令和４年12月５日、また抵当権ロが令和５年４月２日に設定されている。したがって、土地甲の換価代金を見積評価額の800万円と想定した場合の配当金額は下記のように考えられることになる。❷

（配当見積額）

第１順位	抵当権イ	250万円	❶
第２順位	滞納所得税	400万円	❶
第３順位	抵当権ロ	150万円	❶
	計	800万円	

設問３　（８点）

1. 相続人の固有財産からの被相続人の国税の徴収

被相続人である父の滞納消費税を相続財産から徴収する場合、その相続財産に設定されている抵当権と被相続人の滞納国税の優劣はその滞納となっている消費税の法定納期限等である令和５年３月31日を基準として行われる。❶

しかし、本問の被相続人の滞納消費税を相続人の固有財産から徴収しようとする場合には、被相続人の滞納消費税と相続人の固有財産に設定された抵当権の優劣の判定は、相続のあった日である令和５年４月20日を法定納期限等として行われることになる。❷

2. 配当見込額

これにより本事例では、滞納者である父の死亡した日である令和５年４月20日を法定納期限等として、次男Ｂの固有財産である土地乙に設定された３つの抵当権の優劣を判断することになる。❶

（配当見込額）

第１順位	令和５年２月７日設定	抵当権ハ	200万円	❶
第２順位	令和５年３月20日設定	抵当権ニ	300万円	❶
第３順位	令和５年４月20日死亡	滞納消費税	200万円	❷
第４順位	令和５年５月９日設定	抵当権ホ	0	
	計		700万円	

設問４　（８点）

1. 限定承認が行われたと想定した場合

相続（包括遺贈を含む。以下同じ。）があった場合には、相続人はその被相続人（包括遺贈を含む。）に課されるべき、又はその被相続人が納付し、若しくは徴収されるべき国税（滞納処分費を含む。）を納める義務を承継する。

この場合において、相続人が限定承認をしたときは、その相続人は、相続によって得た財産の限度においてのみその国税を納付する責めに任ずる。❷

したがって、相続人全員が限定承認を承認した場合には、長女Ｃは相続した財産の見積評価額である100万円についてだけ被相続人である父の準確定申告に係る国税100万円を負担することになる。❷

また、限定承認後の徴収することができないと予想される金額については、長女Ｃが専業主婦であり無財産であることを理由にして、税務署長は国税徴収法の定める滞納処分の停止の措置を執ることも考えられる。この場合には、長女Ｃが限定承認を行っていることからその納付義務を即時消滅させることもできる。❷

第2予想（解答・解説）

2. 長女Cが単純承認をした場合

相続人のうちに相続によって得た財産の価額が法定相続分を基に計算した国税の額を超える者があるときは、その相続人は、その超える価額を限度として、他の相続人の承継する国税を納付する責めに任ずる。❶

これにより長女Cが単純承認をした場合には他の相続人は長女Cの負担できない父の滞納所得税の一部を負担することも考えられる。❶

設問5 （9点）

1. 相続人の権利の尊重

徴収職員は、被相続人の国税につきその相続人の財産を差し押さえる場合には、滞納処分の執行に支障がない限り、まず相続財産を差し押えるように努めなければならない。❶

2. 相続人の差押換の請求

被相続人の国税につき相続人の固有財産が差押えられた場合には、相続人は、税務署長に対し、次のすべての要件に該当することを理由としてその差押換えを請求することができる。❷

(1) 相続人が他に換価の容易な相続財産を有していること ❶

(2) (1)の財産が第三者の権利の目的になっていないものであること ❶

(3) その財産によりその滞納者の国税の全額を徴収することができること ❶

本事例の場合には、三男Dが相続した音楽関係の動産一式が上記(1)～(3)の要件を満たすとすればDは固有財産である自動車の差押えを音楽関係の動産一式に差押換えするための請求をすることができる。❶

3. 差押換えの請求があった場合 ❶

税務署長は、差押換えの請求があった場合において、その請求を相当と認めるときは、その差押換えをしなければならないものとし、その請求を相当と認めないときは、その旨を相続人に通知しなければならない。

4. 滞納処分の制限との関係 ❶

差押換えの請求によって行う差押えは、国税に関する法律の規定で新たに滞納処分の執行をすることができないこととするものにかかわらず、することができる。

〈解　説〉

〔第一問〕

問１

(1)　**捜　索**

徴収職員は滞納処分のために滞納者の財産を調査する必要がある場合には、まずは滞納者等に対する質問及び検査により、その財産の状況等を把握します。しかし、この質問等に応じないなどの理由により、財産の状況が明らかにならないときは強制捜査として捜索を行うことができます。

この捜索は滞納処分による差押をすべき財産の発見などのために行われる強制的な手続であり、滞納者等の財産や住居などについて行われますが、犯罪捜査の目的のためのものではありません。この捜索についても質問及び検査と同様に、どのような場合に行われるのかを明確にするために、その対象者や捜索方法などについて詳細が定められています。

本問の全体の分量は非常に多いのでこれをすべて記述するとなると多くの時間を要することになります。第一問の冒頭で 25 点という配点であることや、理論暗記が完璧にできているなどの理由でこの問題に多くの時間をかけ過ぎて、これ以降の問題を解く時間が不足することも考えられます。このような時は、解答の途中ですが捜索の方法や出入禁止までの部分の記述に留めて、残りは最後に解答するような戦略も必要です。

(2)　**担保権の消滅又は引受**

担保権の消滅又は引受は国税徴収法の第 124 条に規定されています。消滅と引受の両者を比較すると消滅の規定は簡単ですが引受の方は詳細な定めがなされています。したがって、解答上も引受の方に多くの配点があることになります。

本問ではこの規定をストレートに解答することを求めています。また担保権の消滅又は引受は事例問題としての出題も考えられます。このときには配当金額にも重要性がありますが、むしろ担保権の消滅や引受が行われるのはどのような要件を満たすときであるか、その説明を記述する方に多くの得点があると考えてください。

(3)　**滞納処分を免れる行為に対する罰則**

罰則規定は国税徴収法の最後の第 10 章にあり泡沫規定の印象があります。しかし、この罰則規定があることにより国税徴収法全体を厳格に維持しているという重要な意義があります。罰則規定は本問の滞納処分免脱罪に関するものと検査拒否等の罪によるものがあります。今回の出題では滞納処分免脱罪だけの記述を要求しています。したがって検査拒否等の罪の方も解答した場合には、求められていない内容を記述したことになるので注意してください。

この罰則規定に関しては 2008 年度に出題され、さらに 2022 年には検査拒否罪の一部に法改正が行われています。この点を考慮して、是非とも今後の学習課題としてください。

問2

国税徴収法にでは国税債権の特殊性を考慮して、原則として全ての租税公課その他の債権に優先して徴収するという徴収権を認めています。これは日本国憲法に定められた国民に課せられた教育、勤労、そして納税の３つの義務から考えても、その優先の根拠となり得ることは理解することができます。当然ながら国民には憲法における納税の義務があるというのは象徴的な意味において優先権の根拠になります。さらに国税は国が存続するための財政的な基盤となるもので、国家活動の基礎になっていることからも優先徴収権があるという解釈をすることもできます。

さらに国税徴収法の第８条は、国税を国の債権として、それ以外の一般的な債権と比較して特に優先権を認めるという趣旨によるものです。これは国税が各税法に基づいて成立する債権であり、担保提供をさせて債権者が任意に選択して成立する私債権とは異なることを理由にするものです。これを具体的に説明したものが、模範解答に示した優先権の根拠ということになります。

今回の出題は2005年の「国税に一般的徴収権が承認されている理論的根拠及びその内容」に類似する出題です。その解答は第８条の法的根拠となる内容になり、租税の本質までの理解が問われる内容ということになります。このような受験とは本質的に異なる出題が行われたときに、学習の成果をどこまで解答として示すことができるかというのも受験生には必要であると考えてください。

問3

1. 権利を害することになる最低額

本問は国税徴収法の第18条第１項におけるただし書の「その国税に優先する他の債権を有する者の権利を害することとなるときは、この限りではない」という部分に関連する出題です。この規定は国税に優先する根抵当権と呼ばれる一定範囲に属する不特定の債権を極度額の限度で担保する抵当権が、同じく国税に優先する後順位の抵当権と競合するときに適用されることが考えられます。

この根抵当権には極度額が設けられており、これを限度にして後順位の抵当権に優先するとされています。ただし、国税徴収法によれば根抵当権の優先する金額は差押等の通知時の金額を限度としています。このような規定ではありますが、その後差押の通知等の金額を超えて根抵当権の債権金額が増加した場合、後順位の抵当権が存在すれば、民法の規定により後順位の抵当権の配当額の一部を吸い上げることになり、その権利を害することになります。

2. 配当金額の内訳

根抵当権は設定時にその極度額が国税に優先すれば、その後の被担保債権の金額の増減にかかわりなく、基本的にはその極度額の範囲である限り国税に優先すると考えられます。しかし、その後に差押等の通知時の債権額を超えてその金額が増加した部分にまで優先権を認めることは妥当ではありません。そこで国税徴収法の第18条では根抵当権の設定されている財産を差押えた場合には、根抵当権には差押等の通知がされた金額を限度にして、その優先権を認めるとしています。

また、民法の規定によれば根抵当権に劣後する後順位の抵当権は根抵当権の極度額の範囲においては、その優先権は行使できないとされています。しかしながら国税徴収法の第18条によれば、根抵当権の国税に対する優先額は差押等の通知時とされています。これにより国税徴収法の差押等の通知時の金額と民法における根抵当権は極度額をもって後順位の抵当権に優先するという関係に齟齬が生ずることになります。

この結果が優先する根抵当権が劣後する抵当権の配当を吸い上げるという状況を生むことになり、この状態が「その国税に優先する他の債権を有する者の権利を害するとき」に該当することになります。

このような時には根抵当権は差押の通知時の債権額ではなくその確定額をもって配当が行われ、後順位の抵当権にも順次その被担保債権額による配当が行われることになります。本問ではこれを事例問題として出題しています。ただし、これを「換価代金は何円以上の金額となるか、その具体的な金額を答え」とし、さらにこれについての具体的な配当順序などの解答を要求しているところに特徴があります。

第18条の規定は重要であり、権利を害する場合というのがどのような状態であるのかを理解している必要があります。本問でこれを確認してください。

〔第二問〕

設問１

相続人はその相続開始の時から、被相続人の財産に属した一切の権利義務を承継します。これにより滞納者の財産に差押えがされた後にその滞納者につき相続が開始された場合には、その滞納者の相続人は差押えという処分制限のある財産を承継することになります。国税徴収法ではこのようなときには、被相続人である滞納者に対して行った差押えの効力が相続人に対して存続し、その差押えに基づいてその後の滞納処分手続を続行させることができるとしています。

この滞納処分の差押えは、徴収職員がすでに滞納者が死亡していることを知って行ったときにはその効力は生じません。ただし、徴収職員が差押えをした後に滞納者が既に死亡していたことを知ったときは差押の効力は相続人に対するものして、その効力を存続させるとしています。これは徴収職員が滞納者の死亡を知らなかったことに過失がないことを理由にするものです。

設問２

相続が発生した場合には、被相続人に属していた権利義務は相続人に承継されます。これにより被相続人の国税についても相続人が承継することになります。このときに被相続人の滞納国税を相続財産から徴収しようとする場合、この相続財産に相続開始前に抵当権が設定されていることが考えられます。本問はこれに該当するケースであり、被相続人である父が滞納者であり相続開始前にその有する不動産に２つの抵当権を設定しています。これらの抵当権が滞納所得税に優先するかどうかの判定の基準となるのは被相続人の滞納所得税の法定納期限等になり、具体的には令和５年３月15日が滞納所得税の法定納期限等ということになります。

相続関連問題では法定納期限等の日付に注意が必要です。本事例では生前に被相続人の法定納期限等の前後に抵当権が設定されていることに着目し、その滞納国税との優劣を考慮して抵当権イは設定が令和４年12月５日であり法定納期限等以前であることから滞納所得税に優先します。しかし、抵当権ロは令和５年４月２日であり法定納期限等後であるために滞納所得税に劣後することになります。

相続が発生している場合、相続のあった日や相続税の法定納期限が法定納期限等として判断の基準になる場合もあります。どのような事例にこれらの納期限を用いるのかも理解しておく必要があります。

設問３

被相続人の滞納となっている消費税の法定納期限等は令和５年３月31日です。被相続人のこの滞納消費税のために相続財産に差押えが行われていれば、その相続財産に設定されている抵当権と滞納消費税の関係は被相続人の消費税の法定納期限等がその判断の基準になります。

ところが、被相続人の滞納国税を相続人が相続することになり、相続人がこれを納付することができない場合、相続人が被相続人から特別に財産を相続していないときには、相続人の固有財産に差押えが行われることになります。

このとき相続人自身がその固有財産に抵当権を設定していることが考えられます。このときに被相続人の滞納国税の差押えと、相続人の固有財産上に相続人自身が設定した抵当権の優劣の関係を明らかにしなければなりません。これについては被相続人の国税の法定納期限等がいかに古いものであっても、被相続人の国税を相続人に固有財産から徴収する場合に限り、相続の行われた日を法定納期限等と考えて優劣の判定をすることになります。

したがって、本事例では相続の開始のあった令和５年４月20日を法定納期限等と考えて相続人の固有財産である土地乙に設定されている３つの抵当権の優劣を判定することになります。

設問４

相続に際して相続人は単純承認して、プラスの財産もマイナスの財産もその全てを相続する方法があります。また、限定承認して、プラスの財産の範囲でマイナスの財産を引き継ぐ相続の方法を選択することもできます。したがって、もし相続人がこの限定承認をした場合には、国税の納付義務は相続によって得た財産の価額を限度として、これを承継することになります。ただし、この限定承認は、問題文にある通り相続人全員による同意が必要です。

また、相続人が単純承認をすることにより、相続によって得た財産の価額が相続により承継する被相続人の滞納国税の法定相続分で按分した金額（遺言による相続分の指定があるときはその金額）を超えるときは、その相続人はその超える価額を限度にして、他の相続人納付義務を承継することになります。

本事例では相続した滞納国税について、この限定承認をしたとき、あるいは単純承認をした場合に関して解答をすることになります。

設問5

相続が発生した場合には、相続人は、その被相続人に課されるべき、又はその被相続人が納付し、若しくは徴収されるべき国税を納める義務を承継します。このとき相続人に承継されるこれらの国税は、被相続人から相続した相続財産から徴収されるべきです。これが国税徴収法の第51条で訓示として規定されています。

しかし、訓示規定であるために、相続財産の事情によっては相続人の固有財産に被相続人の国税の差押えが行われることも考えられます。これにより、被相続人の国税のために相続人の固有財産が差押えられた場合には、相続人が他に換価の容易な相続財産で第三者の目的となっていないものを有しており、かつ、その財産により滞納国税の全額を徴収することができる場合には差押換の請求をすることができます。ただし、相続人がこの差押換えの請求を行って、それが認められない場合には、第三者からの差押換えの請求と異なり換価の申立をすることはできません。これは被相続人から滞納国税を相続した相続人は、第三者ではなく滞納者とみなされるからです。

本事例では被相続人から相続した音響関連の財産一式ではなく、相続人の固有財産である自動車に差押えがされているので、こちらの音響関連の財産への差押換えの請求をすることができる旨を解答することになります。

令和６年度　税理士試験
国税徴収法　ラストスパート模試

〈第３予想〉

第３予想（解答・解説編）

◆難易度、時間配分及びボーダ―ラインの目安

	難易度	時間配分	ボーダーライン
第一問	★★★☆☆	65分	35点
第二問	★★★☆☆	55分	35点

◆出題のポイント

・第一問

問１：公売保証金と法定地上権はいずれも基本的な理論ですから正確性を点検してください。電子記録債権の差押えは債権の差押えの延長ですが、通常の債権との手続上の相違点が記述されているかどうかがポイントになります。

問２：特定の前払借賃の優先の根拠の理解が問われているので、答案の内容を確認して採点してください。

問３：交付要求と参加差押の手続的な相違を強制換価手続の違いから説明させることを趣旨とした出題です。強制換価手続の解除後の効果を確認してください。

・第二問

設問１：給料の基本的な差押禁止額の算定です。端数処理などを確認しながら二つの方法で禁止額の正解が出ているかを確認してください。

設問２：同じく退職金に関する差押禁止額ですが、こちらも正解であることを設問１と合わせて点検してください。この設問１と設問２が正解であることが今回の試験の合格ボーダーラインになると考えてくだい。

設問２：給料は継続的な収入に対する債権の差押えですが、本問では退職の事実がありますので、必ずこの点に触れて解答を組み立ててください。

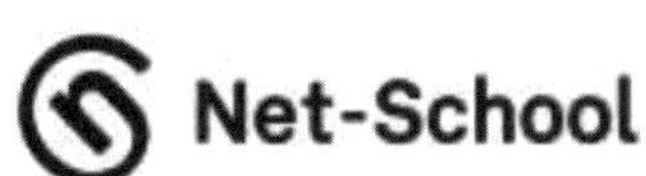

〔第一問〕－50点－

問１

(1)　公売保証金　(14点)

1.　公売保証金の額

(1)　公売財産の入札等をしようとする者（入札者等）は、税務署長が公売財産の見積価額の100分の10以上の額により定める公売保証金を次のいずれかの方法により提供しなければならない。❶

①　現金（一定の小切手を含む。）で納付する方法 ❶

②　入札者等と保証銀行等との間において、入札者等に係る公売保証金に相当する現金を税務署長の催告により保証銀行等が納付する旨の契約が締結されたことを証する書面を税務署長に提出する方法 ❶

(2)　税務署長は、公売財産の見積価額が50万円以下である場合又は買受代金を売却決定の日に納付させるときは、公売保証金の提供を要しないものとすることができる。❶

2.　提供の効果

入札者等は、公売保証金の提供が必要ない場合を除き、公売保証金を提供した後でなければ、入札等をすることができない。❶

3.　買受代金への充当等

公売財産の買受人は、提供した公売保証金がある場合には、公売保証金を買受代金に充てることができる。❶

ただし、買受人が買受代金を納付期限までに納付しないことにより売却決定が取り消されたときは、その公売保証金をその公売に係る国税に充て、なお残余があるときは、これを滞納者に交付しなければならない。❶

4.　公売保証金の返還

税務署長は、最高価申込者等を定めた場合において、次の場合には、遅滞なく、公売保証金をその提供した者に返還しなければならない。❶

(1)　最高価申込者及び次順位買受申込者（以下「最高価申込者等」という。）を定めた場合において、他の入札者等の提供した公売保証金があるとき ❶

(2)　入札等の価額の全部が見積価額に達しないことその他の理由により最高価申込者を定めることができなかった場合において、入札者等の提供した公売保証金があるとき ❶

(3)　買受申込み等の取消しにより最高価申込者等又は買受人がその入札等又は買受けを取り消した場合において、その者の提供した公売保証金があるとき ❶

(4)　最高価申込者が買受代金を納付した場合において、最高価申込者が提供した公売保証金で買受代金に充てたもの以外のもの又は次順位買受申込者が提供した公売保証金があるとき ❶

(5)　売却決定が取り消された場合において、買受人の提供した公売保証金があるとき ❶

5. 公売保証金の国庫帰属

公売参加制限者の入札等又はその者を最高価申込者等とする決定を税務署長が取消したときは、その処分を受けた者の納付した公売保証金は国庫に帰属する。❶

(2) 電子記録債権の差押え (6点)

1. 差押手続

電子記録債権の差押えは、第三債務者及びその電子記録債権の電子記録をしている電子債権記録機関に対する債権差押通知書の送達により行う。❷

2. 差押の効力

徴収職員が電子記録債権を差押えるときは、第三債務者に対しその履行を、電子債権記録機関に対し電子記録債権に係る電子記録を、滞納者に対し電子記録債権の取立てその他の処分又は電子記録の請求を禁じなければならない。❷

3. 電子記録債権の差押の効力発生時期

上記1.の差押えの効力は、債権差押通知書が電子債権記録機関に送達された時に生ずる。ただし、第三債務者に対する差押の効力は、債権差押通知書が第三債務者に送達された時に生じる。❷

(3) 法定地上権等の成立 (5点)

1. 法定地上権の設定

土地及び建物等が滞納者の所有に属する場合において、その土地又は建物等の差押があり、その換価によりこれらの所有者を異にするに至ったときは、その建物等につき、地上権が設定されたものとみなす。❷

2. 法定賃借権の設定

地上権及びその目的となる土地の上にある建物等が滞納者の所有に属する場合において、その地上権又はその土地の上にある建物等の差押があり、その換価によりこれらの所有者を異にするに至ったときは、その建物等につき、地上権の存続期間内において土地の賃貸借をしたものとみなす。❷

3. 地代等

上記1.又は2.の権利の存続期間及び地代は、当事者の請求により裁判所が定める。❶

問2　(15点)

1.　前払借賃の優先配当の理由(趣旨)

国税徴収法においては財産差押にあたり様々な選択基準を設けているが、その中に第三者の権利を尊重すべきという訓示規定がある。これにより抵当権等の担保権付財産や第三者が占有する財産の差押は回避すべきとされている。しかし、これらの財産にやむを得ず差押が行われることがある。このときには第三者の権利を保護するために、抵当権等の被担保債権であれば一定の条件により優先配当や担保権の引受け、又第三者の占有する動産であれば契約の解除によって第三者が取得する損害賠償請求権に対する補償などを認めている。❶

特にこの動産の引渡命令よる契約解除に際しては、引渡前に第三者が賃貸借契約に基づいて引渡後の期間分の賃借料を支払っている場合には、３月分を限度にして滞納国税に優先して配当を行うことが規定されている。

この前払に関する賃借料は動産に関する賃借権又は使用貸借に関する契約とは別個に発生している債権であり、抵当権などのような被担保債権ではないが、動産の引渡しにより喪失してしまう権利である。この点を考慮して引渡しによる損害賠償請求権から独立させて優先配当することにより、動産の引渡命令に応じた第三者の権利を保護しようという趣旨により設けられた規定である。❸

2.　第三者の権利の尊重

徴収職員は、滞納者(譲渡担保権者を含む。)の財産を差し押えるに当たっては、滞納処分の執行に支障がない限り、その財産につき第三者が有する権利を害さないように努めなければならない。❶

3.　第三者が占有する動産等の差押

(1)　第三者が引渡を拒否する場合 ❶

滞納者の動産で第三者(滞納者の親族その他の特殊関係者以外)が占有しているものは、その第三者が引渡を拒むときは、差し押えることができない。

(2)　引渡命令 ❷

上記(1)の場合において、滞納者が他に次のすべての要件に該当する財産を有しないと認められる場合には、税務署長は、その第三者に対し、期限を指定して、その動産を徴収職員に引き渡すべきことを書面により命ずることができる。

①　換価が容易であること

②　その滞納に係る国税の全額を徴収することができる財産であること

4.　引渡命令を受けた第三者の権利の保護

引渡命令を受けた第三者は滞納者との賃借権等の契約を解除するか、又は一定期間その動産の使用収益をするかいずれかを選択することができる。

(1)　契約の解除 ❶

動産の引渡を命ぜられた第三者が、滞納者との契約による賃借権、使用貸借権等に基づき滞納者の動産を占有している場合において、その引渡をすることにより占有の目的を達することができなくなるときは、その第三者は、その占有の基礎となっている契約を解除することができる。

(2) 契約解除の通知 ❶

動産の引渡を命ぜられた第三者は、その動産の差押の時までに、その動産の引渡を命じた税務署長に対し、契約の解除をした旨の通知を書面でしなければならない。

(3) 前払借賃への優先配当 ❷

動産の引渡を命ぜられた第三者が、次のすべての要件に該当するときは、その第三者は、税務署長に対し、その動産の売却代金のうちから、前払借賃に相当する金額で差押の日後の期間に係るもの(最高３月分)の配当を請求することができる。

① 賃貸借契約に基きその動産を占有していること

② 引渡命令によりその契約を解除したこと

③ 引渡命令があった時前にその後の期間分の借賃を支払っていること

(4) 損害賠償請求権への配当 ❶

引渡命令を受けた第三者は、その契約の解除により滞納者に対して取得する損害賠償請求権については、その動産の売却代金の残余のうちから配当を受けることができる。

(5) 配当の順位 ❶

前払借賃は、国税優先の原則の規定にかかわらず、滞納処分費に次ぎ、かつ、その動産上の留置権の被担保債権に次ぐものとして、配当することができる。

(6) 配当の手続 ❶

損害賠償請求権による配当や前払借賃についての配当を受けようとする者は、売却決定の日の前日までに債権現在額申立書を税務署長に提出しなければならない。

問３ (10点)

1. 強制換価手続が異なる理由

滞納者について既に滞納処分などの強制換価手続が開始された場合に、同一財産につき重複して差押を行うことは執行経済上から適切ではない。このような場合には税務署長は交付要求を行うことによって滞納者の財産に対する重複する差押を避け、先行する強制換価手続を行う執行機関に滞納国税の配当を求めてその徴収を図ることができる。❶

一方でこの交付要求は、その基因となった強制換価手続が解除された場合には、その効力を失うために徴収上の懸念があるのも事実である。そこで広義の交付要求である参加差押により、滞納者の財産に強制換価手続の中の滞納処分が行われている場合に限定して、差押の要件を充足していることを条件に、単なる配当請求としてではなく重複した差押を行うこともできる。これにより参加差押は先行の滞納処分が解除された場合であっても解除した執行機関から滞納処分の権限を引継ぐことができる。❶

このように参加差押は交付要求に包括される手続であるが、交付要求の強制換価手続に対する単な

る徴収を目的とする滞納処分に重複差押を行うことにより、行政機関相互間の権利委譲を可能とする趣旨によるものである。❷

2. 効果上の相違点

(1) 強制換価手続の解除に関する相違 ❶

交付要求と参加差押は、強制換価手続が解除された場合の効力が大きく異なる。交付要求は強制換価手続が解除された場合、換価代金から配当を受けるという効力を失うことになるが、これに対して参加差押は先行の強制換価手続である滞納処分が解除された場合には、参加差押書の交付時などの一定の時点に遡って差押の効力が生ずることになる。

(2) 参加差押独自の効力

① 差押財産の引渡しを受ける効力 ❶

税務署長は、差し押さえた動産又は有価証券につき参加差押書の交付を受けた場合において、その動産又は有価証券の差押を解除すべきときは、その動産又は有価証券を差押えの効力を生ずべき参加差押えをした行政機関等に引き渡さなければならない。なお、差し押さえた自動車、建設機械又は小型船舶で徴収職員が占有しているものについても、また同様とする。

② みなし参加差押

２件以上の参加差押を受けている差押えについて、その差押を解除するときは、交付を受けた参加差押書その他の書類のうち滞納処分に関し必要なものを、解除により差押えの効力を生ずべき参加差押をした行政機関等に引き渡さなければならない。❶

また、引き渡された参加差押書に係る参加差押をした行政機関等は、その参加差押をした時に、差押えの効力が生ずべき行政機関等に対して参加差押をしたものとみなし、その引き渡されたその他の書類は、その行政機関等に提出されたものとみなす。❶

③ 換価遅延に対する催告 ❶

参加差押をした税務署長は、その参加差押に係る滞納処分による差押財産が相当期間内に換価に付されないときは、すみやかにその換価をすべきことをその滞納処分をした行政機関等に催告することができる。

④ 換価執行の決定 ❶

参加差押をした税務署長は、参加差押をした不動産が上記③の換価の催告をしてもなお換価に付されないときは、先行の滞納処分をした行政機関等の同意を得て参加差押に係る不動産につき換価の執行をする旨を決定することができる。

〔第二問〕－50点－

設問１　(30点)

(1)　給与合計から一方の給与を控除する方法　―第１法―

①　賞与分

ⅰ　賞与の額　795,000円 → 795,000円(千円未満切捨)❶

ⅱ　租税公課相当額

ａ．源泉所得税　39,541円 → 40,000円(千円未満切上)

ｂ．社会保険料　113,583円 → 114,000円(千円未満切上)

ｃ．合　　計　40,000円＋114,000＝154,000円 ❶

ⅲ　最低生活費保障額

100,000円＋45,000円×２名＝190,000円 → 190,000円(千円未満切上)…(イ) ❶

ⅳ　体面維持費

ａ．{795,000円－(154,000円＋190,000円)} $\times \frac{20}{100}$ ＝90,200円

ｂ．190,000円×２＝380,000円

ｃ．ａ ＜ ｂ　∴ 90,200円 → 91,000円(千円未満切上)…(ロ)❶

②　賞与と７月分給与の合計額

ⅰ　給与の合計額　795,000円＋379,500円＝1,174,500円 → 1,174,000円(千円未満切捨)❶

ⅱ　租税公課相当額

ａ．給料分の源泉所得税 4,890円　→ 5,000円(千円未満切上)

ｂ．給料分の特別徴収住民税 22,900円　→ 23,000円(千円未満切上)

ｃ．給料分の社会保険料 56,734円　→ 57,000円(千円未満切上)

ｄ．賞与分の源泉所得税 39,541円　→ 40,000円(千円未満切上)

ｅ．賞与分の会保険料 113,583円　→114,000円(千円未満切上)

ｆ．控除額合計　5,000円＋23,000円＋57,000円＋40,000円＋114,000円＝239,000円…(ハ) ❶

ⅲ　最低生活費保障額　100,000円＋45,000円×２名 ＝190,000円 → 190,000円…(ニ) ❶
(千円未満切上)

ⅳ　体面維持費

ａ．{1,174,000円－(239,000円＋190,000円)} $\times \frac{20}{100}$ ＝149,000円

ｂ．190,000円×２＝380,000円

ｃ．ａ．＜ ｂ．　∴ 149,000円 → 149,000円(千円未満切上)…(ホ) ❶

③　７月給料分

ⅰ　最低生活費保障額　(ニ)190,000円－(イ)190,000円＝0…(ヘ)❶

ⅱ　体面維持費　(ホ)149,000円－(ロ)91,000円＝58,000円…(ト)❶

④　差押禁止額

(ハ)239, 000 円＋(イ)190, 000 円＋(ヘ)0＋(ロ)91, 000 円＋(ト)58, 000 円＝578, 000 円 ❺

(2)　２社の給与の合計を按分する方法　―第２法―

①　賞与と７月分給与の合計額

i　給与の合計額　795, 000 円＋379, 500 円＝1, 174, 500 円 → 1, 174, 000 円(千円未満切捨)❶

ii　租税公課相当額

a．給料分の源泉所得税 4, 890 円　→　5, 000 円(千円未満切上)

b．給料分の特別徴収住民税 22, 900 円　→ 23, 000 円(千円未満切上)

c．給料分の社会保険料 56, 734 円　→ 57, 000 円(千円未満切上)

d．賞与分の源泉所得税 39, 541 円　→ 40, 000 円(千円未満切上)

e．賞与分の社会保険料 113, 583 円　→114, 000 円(千円未満切上)

f．控除額合計　5, 000 円＋23, 000 円＋57, 000 円＋40, 000 円＋114, 000 円＝239, 000 円…（チ）❶

iii　最低生活費保障額　100, 000 円＋45, 000 円×２名＝190, 000 円 → 190, 000 円(千円未満切上)❶

iv　体面維持費

a．{1, 174, 000 円－(239, 000 円＋190, 000 円)}×$\frac{20}{100}$＝149, 000 円

b．190, 000 円×２＝380, 000 円

c．a．＜b．　∴　149, 000 円（千円未満切上げ）→ 149, 000 円 ❶

②　給与額から租税公課相当額を控除した額

i　賞与分　795, 000 円－39, 541 円－113, 583 円＝ 641, 876 円 → 642, 000 円(千円未満切上)❶

ii　給料分　379, 500 円－4, 890 円－22, 900 円－56, 734 円＝294, 976 円 → 295, 000 円(千円未満切上)❶

③　賞与と給与それぞれの最低生活費保障額と体面維持費

i　賞与最低生活費保障額　190, 000 円×$\frac{642,000円}{642,000円+295,000円}$≒130, 181 円 → 131, 000 円…(リ)❶
(千円未満切上)

ii　賞与体面維持費　149, 000 円×$\frac{642,000円}{642,000円+295,000円}$≒102, 089 円 → 103, 000 円…(ヌ)❶
(千円未満切上)

iii　給料最低生活費保障額　190, 000 円×$\frac{295,000円}{642,000円+295,000円}$≒59, 818 円 → 60, 000 円…(ル)❶
(千円未満切上)

iv　給料体面維持費　149, 000 円×$\frac{295,000円}{642,000円+295,000円}$≒46, 910 円 → 47, 000 円…(ヲ)❶
(千円未満切上)

④　差押禁止額

(チ)239, 000 円＋(リ)131, 000 円＋(ヌ)103, 000 円＋(ル)60, 000 円＋(ヲ)47, 000 円　＝ 580, 000 円 ❺

(3)　給与に関する差押禁止額

①　給与合計から一方の給与を控除する方法　　：578,000円

②　賞与と給与の合計を按分する方法　　　　　：580,000円

(注意事項)

上記解答の算式中に(イ)～(ヲ)が記入されていますが、これは算式関係を明らかにするためのものであり、実際の解答には記入の必要はありません。

また、金額の中には端数処理の必要がないものもありますが、解答上では必ず端数処理に関する記述をしてください。

設問2　(12点)

(1)　退職手当等の額　16,385,000円(千円未満切捨)❷

(2)　退職手当等から差し引かれる租税公課

①　所　得　税　69,600円 → 70,000円(千円未満切上)❶

②　住　民　税　139,200円 → 140,000円(千円未満切上)❶

③　控除額合計　①+②=210,000円

(3)　最低生活費保障額

(100,000円+45,000円×２人)×３=570,000円 → 570,000円(千円未満切上)❷

(4)　支給期間対応額

①　平成９年４月～令和６年７月 → 27年４か月 → 28年間勤務(１年未満切上)❶

②　570,000円×$\frac{20}{100}$×(28年－５年)=2,622,000円 ❶

(5)　差押禁止額 ❹

(2)③210,000円＋(3)570,000円＋(4)②2,622,000円=3,402,000円

第3予想(解答・解説)

設問３　（８点）

1.　差押手続

国税徴収法における給料、賞与並びに退職金に関する差押は債権に関する差押となる。したがって、滞納者Ａの勤務先である甲社に対して、給与等の各支給金額を事前に調査し、滞納者の生活状況や生計を一にする配偶者や親族数などを確認する必要がある。❷

これを前提にして、徴収職員が給与を差押える場合は第三債務者である甲社に対して債権差押通知書を送達して行う。❶

また、この給与の差押を行った場合には、第三債務者である甲社に対して滞納者Ａへの給与の支払いを禁止すると同時に、滞納者Ａに対しても給与支払いの請求やその他の処分を禁止しなければならない。❶

2.　差押の効果

給与の差押は滞納者の承諾があれば差押禁止額を超えて差押をすることができる。❶ただし、本問では、滞納者Ａの承諾がない旨の条件が付されているために、上記設問の差押禁止額を基準とし、これを超える金額につき差押を行うことになる。❶

また給料は、継続収入であるため差押の効力は徴収すべき国税の額を限度に、差押後に収入すべき金額に及ぶ。❶

しかし、滞納者Ａは甲社を令和６年７月末に退職してしまうため、今後は甲社からの給料の支給がなくなる。そこで滞納者Ａに対する滞納国税の未徴収額は異なる財産への差押等を検討することになる。❶

〈解　説〉

〔第一問〕

問１

(1)　公売保証金

公売保証金の趣旨は公売から不適格者を排除することを目的にして設けられたものです。これにより公売参加にあたり一定の金額を事前に預け入れて、買受人となればこれを買受代金に充てることができます。また、最高価申込者あるいは次順位買受申込者とならなかった場合などには返還が行われます。しかし、最高価申込者等とする決定の取消しなどがあれば返還されることはなく国庫に帰属することになります。

解答に際しては公売保証金の提供方法や金額はもちろんですが、買受代金への充当や返還、さらに国庫帰属などが正確に記述できるかどうかで得点差が付くものと考えられます。この点を考慮して自己採点後に理論の完璧な暗記を目標にしてください。

(2)　電子記録債権の差押え

電子記録債権とは、電子債権記録機関が作成する記録原簿に電子記録をしなければ発生又は譲渡の効力が生じない金銭債権をいいます。この電子債権記録機関とは、電子記録債権法の規定により主務大臣の指定を受けた株式会社をいいます。

この電子記録債権の差押えは、第三債務者及び電子債権記録機関に債権差押通知書を送達して行うことになります。このときに債権差押通知書の送達を受けた電子債権記録機関は、遅滞なくその差押えの電子記録をしなければなりません。

このとき第三債務者に送達する債権差押通知書には、電子記録債権につき滞納者に対する債務の履行を禁ずる旨、及び徴収職員に対しその履行をすべき旨を、また、電子債権記録機関に送達する債権差押通知書には、電子記録債権につき電子記録を禁ずる旨を記載しなければなりません。

また、通常の差押えと同様に電子記録債権を差押えたときは差押調書を作成し、その謄本を滞納者に交付します。この謄本には、電子記録債権の取立てその他の処分又は電子記録の請求を禁ずる旨を付記しなければなりません。

電子記録債権の差押えは、債権差押通知書が電子債権記録機関に送達された時にその効力が生じますが、第三債務者との関係においては、債権差押通知書が第三債務者に送達された時にその効力が生ずることになります。

(3)　法定地上権の成立

差押財産としての不動産である土地には、宅地であれば当然ながら建物が建設されていることが想定されます。この土地と建物は独立した財産ですが、これを同一人が所有する場合、あるいは異なる権利者がその所有を別々にしていることも考えられます。このとき同一人が土地と建物を所有している場合に、滞納処分によって土地と建物の両者の帰属が異にすることも起こり得ます。もしこのような場合には国税徴収法第127条においてその権利関係を明確にしています。

この規定により土地及び建物等が滞納者の所有に属する場合において、その土地又は建物等の差押えがあり、その換価によりこれらの所有者を異にするに至ったときに建物等につき法定地上権が設定されたものとみなされます。また、一方で地上権及びその目的となる土地の上にある建物等が滞納者の所有に属する場合において、その地上権又はその土地の上にある建物等の差押えがあり、その換価によりこれらの所有者を異にするに至ったときに、その建物等につき法定賃借権が設定されたものとし、地上権の存続期間内において土地の賃貸借をしたものとみなされることになります。

解答ではこれらを記述することになりますが、内容も平易であり解答量も多くないために短時間で完璧な答案を完成することができたかを確認してください。

問2

国税徴収法には第三者の権利保護規定がいくつか設けられています。この中には差押換えの請求や交付要求の解除請求など滞納処分を回避させるようなものや動産の引渡命令による損害賠償請求権への配当を与えることにより金銭面においてその保護をしようとするものもあります。

この動産の引渡命令については、第三者の権利を保護せよという訓示規定が存在するにも関わらず、滞納処分によりその引渡命令が行われ、契約解除によりやむなく発生する損害賠償請求権について配当を与えるとしています。このときに差押後の期間の係る賃借料の支払があれば、これは動産に関する賃借権又は使用貸借に関する契約とは別個に発生している債権と考えることができます。当然ながら、この債権は抵当権などのような被担保債権ではありません。しかし、動産の引渡により喪失してしまう権利であることを考慮して、引渡による損害賠償請求権から独立させて優先配当することにより、動産の引渡命令に応じた第三者の権利を保護しようという趣旨により設けられた規定ということになります。

問題では優先配当の理由（趣旨）を説明せよとありますから、第三者の権利保護に関する訓示規定の存在から引渡命令に応じた見返りとしての保護であるという点までを適切に記述しなければなりません。

問3

交付要求は滞納者に強制換価手続が開始された場合に同一財産について重複した差押えを行うことは執行経済上から適切ではないために、自らの差押えを行うことなく、これらの手続をすでに行っている執行機関に対して滞納国税の交付を求めてその満足を図ろうとする手続です。

この交付要求には広義の交付要求と狭義の交付要求という解釈があり、広義の交付要求には参加差押が含まれています。これらはいずれも滞納国税の存在を前提にして行われますが、滞納者に執行されている強制換価手続の範囲に関しては相違があります。

国税徴収法における強制換価手続には第２条第１項第 12 号に示されている５項目があり、これらは公権力が強制的に債務の履行を実現させる手続を示し、税務署自ら行う滞納処分、裁判所などを通じて行われる強制執行（民事執行法による強制執行）、担保権の実行としての競売（民事執行法の規定により行われる競売のうち、抵当権、質権、先取特権の行使として行われるもの）、企業担保権の実行手続、さらに破産法に定める破産手続を示しています。

交付要求はこの５項目のいずれの強制換価手続が開始された場合であっても、その手続を行わなければなりません。これは迅速な滞納処分により滞納国税を保全するという重要な目的があるからです。ただ残念ながら、この強制換価手続が解除された場合には交付要求の効力を失うという欠陥も持ち合わせています。

これに対して参加差押は強制換価手続の中の滞納処分にしか行うことができません。滞納処分の執行機関は租税徴収のための税務署や県税事務所などの行政機関です。したがって、この参加差押は行政機関である税務署が他の行政機関の滞納処分に二重の差押えを行うという性格を有していることになります。この参加差押の特徴は、差押えの要件である督促の手続が完了していれば、先行の滞納処分が解除されてもその効力を引継ぐことができるという点にあります。

いずれも強制換価手続に対する配当請求という同じ目的で行われますが、先行の手続が解除された場合の効果を考慮して、交付要求と参加差押を行う強制換価手続の範囲を限定させているということが両者の大きな相違点ということになります。

〔第二問〕

給与の差押禁止額の計算は、詳細にその計算方法を理解しておく必要があります。とくに過去の出題では２ヵ所からの給料を受取った場合の差押禁止額の計算問題が度々取り上げられています。本問では同一月に通常の給料と賞与の支給が行われた事例ですが、このような場合には２ヵ所からの給料の支払を受けたケースとして差押禁止額を計算することになります。基本通達ではこの２ヵ所からの給料の支給による差押禁止額の計算には２つの方法が説明されています。受験にあたってはこれら２つの計算方法について精通しておく必要があります。

なお、過去の出題では滞納者と婚姻の届出はしていない内縁関係者、あるいは同居する親族で所得税法における扶養親族の判定の基礎となる金額以上の収入がある生計を一にする者なども出題されています。ちなみに過去の試験では、この生計を一にする親族の判定を誤ったために最低生活費保障額の金額をミスするという不合格例が多いので注意が必要です。

国税徴収法における生計を一にするという取扱いですが、日常生活を同居により営み経済的な原資を共通にしていることをいいます。したがって、同居しており一定の所得がある者であっても、その収入によって親族が生活していれば生計を一にすることになります。また、納税者がその親族と生活を共にしていない場合でも、仕送りとして生活費、学資金を送金して扶養しているときも生計を一にすることになります。

なお、親族であっても独立して別居している場合は当然ですが、もし同一の家屋で生活している場合、明らかに互いに独立した原資で生活を営んでいると認められる場合の親族は生計を一にするということにはなりません。

また、その他の親族は、所得税法では控除対象配偶者などにはなりませんが、滞納者と生計を一にする婚姻の届出はしていない事実上の扶養関係にある者や控除対象扶養親族に該当しない満14歳の子供もその他の親族と同様に取り扱うものとされています。これらの取扱いは国税徴収法と所得税法の相違する点ですから明確に区別をする必要があるでしょう。

設問１

給料に関する差押禁止額の計算問題が過去において1989年、2000年さらに2004年に出題されています。本問では同一月に通常の給料と賞与の支給が行われた事例ですが、このような場合には２ヵ所からの給料の支払を受けたケースとして差押禁止額を計算することになります。

基本通達によれば、この２ヵ所からの給料の支給による差押禁止額の計算には２つの方法が説明されています。解答の順序としては基本通達に従い第一法の方から優先させて説明した方が望ましいと考えてください。また、出題によっては差押禁止額ではなく差押可能額を問われることもあるので、この点にも注意が必要です。

いずれにしても受験にあたっては両方法の計算をミスなく行うことはもちろん、生計を一にする親族の判定など、その計算には精通しておく必要があります。

設問2

退職金の差押禁止額の計算は、給料の差押禁止額の計算と類似しています。しかし、体面維持費の代わりに勤続年数を考慮した支給期間対応分の差押禁止額の計算が行われる点が大きな相違点です。この支給期間対応額の計算は５年を基準にして行いますが、勤続年数の計算で切上げが行われる点にも注意をしてください。

設問3

給料の差押は基本的に債権の差押を中心に説明することになります。ただし、継続収入に対する差押であることに特徴があり、この点を明確にすることが論点になります。ただし、本問では滞納者Ａが甲社を令和６年７月末で退職するため、継続収入に対する差押えは期待できない点にも必ず触れる必要があります。

令和６年度　税理士試験
国税徴収法　ラストスパート模試

〈第４予想〉

第４予想（解答・解説編）

◆難易度、時間配分及びボーダーラインの目安

	難易度	時間配分	ボーダーライン
第一問	★★★★☆	70分	35点
第二問	★★★☆☆	50分	35点

◆出題のポイント

・第一問

問１：随意契約は売却要件よりもその後の手続関係の方にウエイトがありますのでこれに着目して点検をして下さい。最後の質問及び検査は本年度の出題予想になります。

問２：11種類の第二次納税義務の内から問題文の条件により該当する第二次納税義務を選択できたかを確認してください。

問３：３項目の法定納期限などの日付が解答できたかがポイントです。更正・決定や修正申告のようなものではない重加算税などの納期限等も理解が必要です。

・第二問

設問１：譲渡前に２つの抵当権が設定されている場合における第22条適用の配当額の計算問題です。配当金額と仮定配当金額に関する算定方法を正確に解答できたかが重要になります。

設問２：第17条の譲渡前の抵当権の優先に関する内容です。設問１よりこの設問２の方が難易度は低いですが、それだけに解答の記述には正確性が求められます。これを念頭に採点をしてください。

設問２：譲渡担保の法定納期限等に関する出題です。譲渡担保自体は問題ありませんが告知の日を解答で正しく記述していることを点検してください。

〔第一問〕　－60点－

問１

(1)　随意契約による売却(12点)

1.　随意契約による売却の要件

次のいずれかに該当するときは、税務署長は、差押財産を随意契約により売却することができる。

(1)　法令の規制を受ける財産等 ❷

①　法令の規定により、公売財産を買い受けることができる者が一人であるとき

②　その財産の最高価額が定められている場合において、その価額により売却するとき

③　その他公売に付することが公益上適当でないと認められるとき

(2)　取引所の相場がある財産 ❶

取引所の相場がある財産をその日の相場で売却するとき

(3)　買受希望者のない財産 ❷

①　公売に付しても入札等がないとき

②　入札等の価額が見積価額に達しないとき

③　買受人が買受代金を納付しないため、売却決定を取り消したとき

2.　随意契約による見積価額の決定 ❷

差押財産を随意契約で売却する場合は、次の場合を除き、売却財産の見積価額を定めなければならない。

(1)　最高価額が定められている財産をその価額で売却するとき

(2)　取引所の相場がある財産をその日の相場で売却するとき

また、上記1.(3)の買受希望者のない財産を売却するときは、その見積価額は、その直前の公売における見積価額を下回ってはならない。

3.　売却の通知

税務署長は、随意契約により売却をする日の７日前までに、公売の通知に準じて、滞納者その他一定の者に通知書を発しなければならない。❶

また、売却財産の売却代金から配当を受けることができる者のうち知れている者に対し、その配当を受けることができる国税等につき、債権現在額申立書をその財産の売却決定をする日の前日までに提出すべき旨の催告をあわせてしなければならない。なお、随意契約による売却が直前の随意契約による売却の期日から10日以内に行われるときは、適用しない。❶

4.　買受人の通知及び公告

財産が不動産等であるときは、買受人の氏名、その価額等を滞納者及び利害関係人のうち知れている者に通知するとともに、これらの事項を公売公告の方法に準じて公告しなければならない。❶

5. 暴力団員等に該当しないことの陳述

公売不動産を随意契約により買い受けようとする者（法人である場合は、その代表者）は、税務署長に対し、暴力団員関係者等に該当しない旨を陳述しなければ、買い受けることができない。❶

6. 調査の嘱託

税務署長は、自己の計算において最高価申込者等に公売不動産を随意契約により買い受けさせようとした者（法人である場合は、その役員）が暴力団員等に該当するか否かについて、必要な調査をその税務署の所在地を管轄する都道府県警察に嘱託しなければならない。ただし、公売不動産の最高価申込者等が暴力団員等に該当しないと認めるべき事情がある場合は、この限りではない。❶

(2) 滞納処分の引継ぎ（7点）

1. 徴収の引継ぎ

(1) 国税局長の引継ぎ

国税局長は、必要があると認めるときは、その管轄区域内の地域を所轄する税務署長からその徴収する国税について徴収の引継ぎを受けることができる。❶

(2) 税務署長又は税関長の引継ぎ

税務署長又は税関長は、必要があると認めるときは、その徴収する国税について他の税務署長又は税関長に徴収の引継ぎをすることができる。❶

(3) 通　知

上記(1)、(2)の規定により徴収の引継ぎがあったときは、その引継ぎを受けた国税局長、税務署長又は税関長は、遅滞なく、その旨をその国税を納付すべき者に通知するものとする。❶

2. 滞納処分の引継ぎ

(1) 滞納処分の執行の原則

税務署長又は国税局長は、その税務署又は国税局所属の職員に滞納処分を執行させることができる。❶

(2) 滞納処分の引継ぎ

① 差押えの引継

税務署長又は国税局長は、差押えるべき財産又は差押えた財産がその管轄区域外にあるときは、その税務署長又は国税局長は、その財産の所在地を所轄する税務署長又は国税局長に滞納処分の引継ぎをすることができる。❶

② 換価手続の引継

税務署長は、差押財産又は参加差押不動産を換価に付するため必要があると認めるときは、他の税務署長又は国税局長に滞納処分の引継ぎをすることができる。❶

(3) 事後手続

滞納処分の引継ぎがあったときは、引継ぎを受けた税務署長又は国税局長は、遅滞なく、その旨を納税者に通知するものとする。❶

(3)　質問及び検査(14 点)

1.　質問及び検査とその相手方

徴収職員は、滞納処分のため滞納者の財産を調査する必要があるときは、その必要と認められる範囲内において、次に掲げる者に質問し、その者の財産に関する帳簿書類（電磁的記録を含む。）その他の物件を検査し、又はその物件の提示若しくは提出を求めることができる。❶

(1)　滞納者 ❶

(2)　滞納者の財産を占有する第三者及びこれを占有していると認めるに足りる相当の理由がある第三者 ❶

(3)　滞納者に対し債権若しくは債務があった、若しくはあると認めるに足りる相当の理由がある者又は滞納者から財産を取得したと認めるに足りる相当の理由がある者 ❶

(4)　滞納者が株主又は出資者である法人 ❶

2.　提出物件の留置

徴収職員は、滞納処分に関する調査について必要があるときは、その調査において提出された物件を留め置くことができる。❶

3.　事業者等への協力要請

徴収職員は、滞納処分に関する調査について必要があるときは、事業者又は官公署に、その調査に関して参考となるべき帳簿書類その他の物件の閲覧又は提供その他の協力を求めることができる。❶

4.　身分証明書の提示等

(1)　身分証明書の提示

徴収職員は質問又は検査、提示若しくは提出の要求又は事業者への協力要請をする場合には、その身分を示す証明書を携帯し、関係者の請求があったときは、これを提示しなければならない。❶

(2)　徴収職員の権限

徴収職員による質問又は検査、提示若しくは提出の要求、物件の留置きの権限は犯罪捜査のために認められたものと解してはならない。❶

5.　質問及び検査の拒否及び罰則

(1)　次のいずれかに該当する場合には、その違反行為をした者は、1年以下の懲役又は 50 万円以下の罰金に処する。❶

①　質問及び検査の規定による徴収職員の質問に対して答弁をせず、又は偽りの陳述をしたとき。❶

②　質問及び検査の規定による検査を拒み、妨げ、若しくは忌避したとき。❶

③　質問及び検査の規定による物件の提示又は提出の要求に対し、正当な理由がなくこれに応じず、又は偽りの記載若しくは記録をした帳簿書類その他の物件(その写しを含む。)を提出し、若しくは提示したとき。❶

(2)　法人の代表者等が、その法人等の業務又は財産に関して上記の違反行為をしたときは、その行為者を罰するほか、その法人等に対し罰金刑を科する。❶

問2　(13点)

1. 同族会社の第二次納税義務

(1) 成立要件

次のすべての要件に該当するときは、同族会社は、その滞納に係る国税につき第二次納税義務を負う。

① 滞納者が、その者を判定の基礎となる株主又は社員として選定した場合に同族会社の株式又は出資を有していること。

ただし、滞納国税の法定納期限の１年以上前に取得したものを除く。❶

② 上記①の株式又は出資につき次に掲げる理由があること

イ　その株式又は出資を再度換価に付してもなお買受人がないこと ❶

ロ　その株式若しくは出資の譲渡につき法律・定款に制限があり、これらを譲渡することに支障があること ❶

ハ　株券の発行がないため、これを譲渡することに支障があること ❶

③ 滞納者の財産(上記①の株式又は出資を除く。)につき滞納処分を執行してもなおその徴収すべき額に不足すると認められること ❶

(2) 第二次納税義務を負う者

第二次納税義務を負う者は、上記(1)の成立要件に該当する同族会社である。❶

(3) 第二次納税義務の範囲及び限度

滞納者の有する同族会社の株式又は出資の価額を限度とする。❶

2. 事業を譲り受けた特殊関係者の第二次納税義務

(1) 成立要件

次のすべての要件に該当するときは、その滞納に係る国税につき第二次納税義務を負う。

① 納税者が、滞納に係る国税の法定納期限の１年前の日後に、事業を納税者と生計を一にする親族その他納税者と特殊な関係にある個人又は被支配会社で一定のものに譲渡したこと ❶

② その譲受人が、同一又は類似の事業を営んでいること ❶

③ その納税者が譲渡した事業に係る国税を滞納していること ❶

④ 上記③の国税につき滞納処分を執行してもなおその徴収すべき額に不足すると認められること ❶

(2) 第二次納税義務を負う者

第二次納税義務者は、納税者から事業を譲り受けた生計を一にする親族その他納税者と特殊な関係のある個人又は被支配会社で一定のものである。❶

(3) 第二次納税義務の範囲及び限度

譲受財産の価額を限度とする。❶

問３

設問１（４点）

1.　修正申告の納期限

本事例の相続税に係る修正申告の納期限は、修正申告書の提出日である令和５年 11 月 20 日である。❸

2.　納期限の意義

納期限とは、納付税額が確定した国税を実際に金銭等で納付すべき期限をいう。基本的には各税法に定める法定納期限と同日であるが、この法定納期限に納付が行われない場合の修正申告、期限後申告、更正若しくは決定処分に係る納期限については、それぞれ具体的な納期限が定められている。❶

本事例における修正申告に係る具体的な納期限は、その修正申告書が提出されたで日ある令和５年 11 月 20 日となる。

設問２（５点）

1.　重加算税の法定納期限

本事例の更正処分に係る重加算税の法定納期限は令和６年５月 31 日である。❸

2.　法定納期限の意義

法定納期限とは、各税法の規定により国税を納付すべき本来の履行期限をいう。この法定納期限の翌日から国税債権の消滅時効が進行し、納付が無い場合には延滞税が課税されることになる。更に納付税額が確定している場合には督促が行われ、これによる納付が行われない場合には滞納処分が開始されることになる。❷

本事例における重加算税の法定納期限は、法人税の本税である法定納期限と同日の令和６年５月 31 日となる。

設問３（５点）

1.　繰上請求に係る法定納期限等

本事例の繰上請求に係る所得税の法定納期限等は繰上請求の納期限と同日の令和６年３月５日である。❸

2.　法定納期限等の意義

法定納期限等は予測可能性の理論に基づき、納税者に滞納国税が存在するかどうかにより、滞納処分上の財産における質権等との優劣の判定基準とするために定められている。この法定納期限等は基本的に法定納期限と同様に取り扱われることになるが、実際には国税の発生の態様などにより法定納期限において質権者等が国税の発生を予想できないこともある。これは国税の期限後申告や修正申告さらに更正決定処分、又繰上請求などが行われる場合が該当し、これらに対処するために国税徴収法第 15 条において納税納期限等についてその詳細を規定している。❷

本事例における繰上請求のような本来の法定納期限よりも早くに納期限が到来するものは、繰上請求書に記載された納期限である令和６年３月５日が法定納期限等となる。

〔第二問〕－40 点－

設問１(15 点)

1. 担保権付財産が譲渡された場合の国税の徴収に関して

本事例では下記の要件(1)及び(2)に該当すると考えられるため、Ｙ税務署長が行う譲渡財産である土地Ｍの滞納処分からＡ抵当権とＢ抵当権によって担保される債権につき、各抵当権者が配当を受ける金額のうちから譲渡人である滞納者甲の滞納所得税を徴収することができる。❷

(1) 滞納者甲が他の国税に充てるべき十分な財産がない場合において、滞納所得税の法定納期限等である令和６年３月 15 日後にＡ抵当権及びＢ抵当権を設定した状態のままで、この土地Ｍを乙株式会社に対して令和６年５月７日に譲渡している。❷

(2) この土地Ｍ以外の滞納者甲の財産につき滞納処分を執行しても、なおその徴収すべき滞納所得税に不足すると認められること。❷

2. 第一次配当金額

Ａ抵当権の 450 万円及びＢ抵当権の 200 万円の２つは譲受前に設定されており、これら２つの抵当権はいずれも譲受人乙株式会社の法人税 560 万円に優先することになる。したがって、換価代金 900 万円はＡ抵当権に 450 万円、Ｂ抵当権に 200 万円に配当されると考えられ、その残額 250 万円(＝900 万円－450 万円－200 万円)が乙株式会社の滞納法人税に配当される。❷

3. 第二次配当金額

上記1.により滞納者甲の滞納所得税として徴収することができる金額は、下記(1)の金額から(2)の金額を控除した額を超えることはできない。

(1) 本来の配当金額

譲渡された土地Ｍの換価代金 900 万円から、譲渡前に設定された１番Ａ抵当権者が被担保債権として配当を受けるべき金額は 450 万円、さらに２番Ｂ抵当権者が被担保債権として配当を受ける金額は 200 万円である。❷

(2) 仮定配当額

譲渡された土地Ｍを滞納者である譲渡人甲の財産とみなし、その土地Ｍの換価代金につき譲渡人である納税者甲の滞納所得税の交付要求があったものとした場合のＡ抵当権者が被担保債権として配当を受けることができる金額は 450 万円、また、同じくＢ抵当権者が被担保債権として配当を受けることができる金額は 150 万円(＝900 万円－滞納所得税:300 万円－Ａ抵当権：450 万円)である。❷

(3) 滞納者甲の滞納所得税として徴収できる金額

これにより上記(1)のＡ抵当権及びＢ抵当権の配当金額から同じく(2)のＡ抵当権及びＢ抵当権の仮定配当金額を控除した金額の合計である 50 万円が譲渡人甲の滞納所得税としてＸ税務署長が徴収することができる金額になる。

A抵当権：$\overset{(1)配当金額}{450万円}$ － $\overset{(2)仮定配当金額}{450万円}$ ＝0

B抵当権：$\overset{(1)配当金額}{200万円}$ － $\overset{(2)仮定配当金額}{150万円}$ ＝50万円 … 50万円 ＜ 300万円　∴ 50万円 ❸

4. 各債権等への配当金額

各租税及び被担保債権への配当額は、下記の通りである。（順不同）

（各債権等への配当金額）

滞納者甲の所得税	50 万円
譲渡前のＡ抵当権	450 万円
譲渡前のＢ抵当権	150 万円
譲受人乙の滞納法人税	250 万円
計	900 万円

設問２（５点）

1. 譲受前に設定された被担保債権の優先

滞納者甲は令和６年６月 30 日に土地Ｎを取得しているが、この土地Ｎには譲渡前の令和５年 12 月７日にＣ抵当権が 250 万円設定されている。このとき譲受人である滞納者甲の滞納所得税は、その土地Ｎの換価代金につき、その譲受前に設定されたＣ抵当権により担保される債権 250 万円に次いで徴収される。❷

2. 徴収可能な金額

上記1.により譲渡前に設定されたＣ抵当権により担保される債権 250 万円が、譲受人である滞納者甲の所得税に優先することになるために滞納所得税の徴収可能な金額は 150 万円になる。

（配当金額）

第１順位	譲受前のＣ抵当権	250 万円	
第２順位	滞納者甲の所得税	150 万円	❸
	計	400 万円	

設問３（20 点）

1．譲渡担保権者の物的納税義務責任の要件

次のすべての要件に該当することから、譲渡担保財産である自宅用不動産から納税者甲の滞納所得税を徴収することができると考えられる。❶

(1) 納税者である甲は現時点でも所得税 100 万円（＝滞納所得税：300 万円－設問１：50 万円－設問２：150 万円）を滞納している状態である。❷

(2) 納税者である甲が譲渡した自宅不動産が、その譲渡により担保の目的となっている、いわゆる譲渡担保財産の状態になっている。❷

(3) 納税者甲の財産につき滞納処分を執行してもなお徴収すべき国税に不足すると認められる。❷

(4) この譲渡担保の設定が国税の法定納期限等の令和６年３月 15 日後の令和６年７月 21 日に行われている。❷

2．徴収に関する手続

(1) 譲渡担保権者への告知等

Ｘ税務署長は、譲渡担保設定者である滞納者甲の所得税を徴収しようとするときは、譲渡担保権者丁に対し、徴収しようとする金額その他必要な事項を記載した書面により告知しなければならない。❶

この場合においては、譲渡担保権者丁の住所等の所在地を所轄する税務署長及び納税者甲に対してその旨を通知しなければならない。❶

(2) 譲渡担保権者に対する滞納処分

上記(1)の告知書を発した日から 10 日を経過した日までにその徴収しようとする金額が完納されていないときは、徴収職員は、譲渡担保権者丁を第二次納税義務者とみなして、その譲渡担保財産である自宅不動産につき滞納処分を執行することができる。❶

3．徴収できる金額

本事例では譲渡担保権者である丁は、財産譲受後にＤ抵当権及びＥ抵当権の二つを設定している。

この状態で譲渡担保権者の物的納税責任の要件を満たすとして、Ｘ税務署長がその徴収のために譲渡担保権者丁に告知を行うことが推定される。

このとき譲渡担保設定者である滞納者甲の滞納所得税と譲受後に設定されたＤ抵当権及びＥ抵当権の優劣の関係は、譲渡担保設定者甲の滞納所得税徴収のために告知書が発せられた日を法定納期限等として判断することになる。❷

本事例ではこの告知書を発した日について特段の記述がないが、現時点でＸ税務署長から譲渡担保権者丁への告知が行われていないと推定すれば、その告知はＤ抵当権及びＥ抵当権の設定日より遅いことになる。このため甲の滞納所得税は２つの抵当権に劣後する。❷

また、すでに土地Ｍ及び土地Ｎの滞納処分により滞納者甲の滞納国税 300 万円のうち 200 万円（＝設問１：50 万円＋設問２：150 万円）が徴収済みである。このために譲渡担保財産からの徴収は未徴収の 100 万円だけとなる。❶

（配当金額）

第１順位	D抵当権	270 万円	
第２順位	E抵当権	400 万円	
第３順位	滞納者甲の滞納所得税	100 万円	…130 万円 ＞ 100 万円　∴ 100 万円❸
	計	770 万円	…残額 30 万円（＝800 万円－770 万円）は譲渡担保権者へ配当

〈解　説〉

〔第一問〕

問１

(1)　随意契約

差押財産の随意契約による売却とは、一般的な公売手続の方法によらないで売却価額や買受人を決定する方法です。これは差押財産の換価が公売の方法では適切ではないなどの場合、例えば土地収用法により土地を収用できる者から公による買入の申出が行われたり、取引所の相場のある株式を当日の市場価格で売却できるようなとき、また、公売が成立しない、買受希望者がない、あるいは買受申込価額が見積価額に達しないような財産を換価するような場合です。法律ではこれが第 109 条第１項の第１号から第３号に規定されていますから、これをできるだけ正確に記述をしてください。

また、手続として売却の通知や債権現在額申立書の提出、さらに重要な内容ですが見積価額の決定についても触れなければなりません。これ以外の手続として買受人の通知や調査の嘱託などもあります。これらの手続は第１項の随意契約できる場合の要件に比べると重要性は低いですが、法律には規定があり随意契約の全体の一部を構成しているので解答としてはその記述が必要です。

なお、参考ですが 2015 年第一問の問１において「差押財産を例外的な方法により売却できる場合」という出題が行われています。これについては本問の随意契約による売却と国税徴収法第 110 条の国による買い入れを解答することになります。この国による買い入れは短い規定であり特別暗記するような規定ではありません。

(2)　滞納処分の引継ぎ

国税の滞納処分は同一の管轄区域内で完結するわけではありません。滞納者の居所と差押財産の所在地が異なる地域に存在する場合、あるいは本来の納税者と第二次納税義務者の所轄地域が相違することも考えられます。そこで時間的あるいは経済的な事情により滞納処分手続を他の所轄税務署等に引継がせることを可能としています。これが国税通則法の第 43 条第３項から第５項に規定されています。

また、国税徴収法第 182 条において税務署長又は国税局長は、差押えや換価すべき財産が管轄地域外にあるときは滞納処分の引継ぎができることも定められています。この引継ぐことができる滞納処分は、督促が既に行われている国税に関する財産差押、交付要求、債権取立、公売、公売代金の受領や充当、若しくは配当などの全般的な手続ということになります。

本問は特殊な範囲からの出題の印象がありますが 2000 年第一問において「滞納処分の引継ぎができる場合の要件と事後手続」という出題がされていますので、多少の考慮はしておく必要があるでしょう。

(3)　**質問及び検査**

徴収職員は滞納処分のために滞納者の財産を任意で検査をしたり質問をすることが認められています。この質問及び検査は任意調査ですが、その対象者や質問検査の方法については詳細が定められています。この質問及び検査は滞納処分における差押財産の発見のためだけではなく、差押後の公売に関して、あるいは見積価額の検討などのために行われます。

また、この質問及び検査は任意調査ですが、相手側が質問に答えない場合や検査を拒否したり、あるいは虚偽の陳述を行ったときには罰則の規定が適用されることになっています。

質問及び検査の出題に関しては模範解答に示す通り提出物件の留置、事業者等への協力要請、又身分証明書の提示等の規定が設けられておりこれらを解答することになります。

この質問及び検査はさらに捜索に関連しています。両者はいずれも本年度の出題の可能性の高い理論ですから正確な記述ができるようにしておいてください。

問2

第二次納税義務については近年コンスタントに出題されています。もはや例年出題されていると考えても差し支えないものです。第二次納税義務に関しては全11項目がありますが、その中心となるものについては成立要件、第二次納税義務の範囲、第二次納税義務を負う者を把握しておくことが重要です。さらにこれらが事例形式として出題された場合、その適用される規定の判定を正しく行うことができるような学習も必要です。

昨年 2023 年には共同的な事業者の第二次納税義務者の出題が行われていますが、今回の問題では少々不規則な事例による問題を出題しています。解答のヒントになるのは下記の語句等になります。

(解答のヒント)

(1)　滞納している国税の法定納期限の１年前の日後の期間にまで遡って

(2)　物品販売を営む個人事業者

(3)　契約や取引などについて金銭的な利益を限度

先ず(1)の「滞納している国税の法定納期限の１年前の日後の期間にまで遡って」という条件ですが、この１年という期限に限定した第二次納税義務が発生するかどうかを検討しなければならないのは同族会社、事業を譲り受けた特殊関係者、無償又は著しい低額の譲受人等、さらに人格のない社団等からの財産の払戻し等を受けた者の第二次納税義務の４項目になります。ただし、問題文では「１年前の日後」としていますから、これにより無償又は著しい低額の譲受人の第二次納税義務は除外されます。ここでは問題文の「１年前の日後」とされている点に注意が必要です。

次に(2)の「物品販売を営む個人事業者」という条件から、残った３項目から人格のない社団等からの財産の払戻し等を受けた者の第二次納税義務者は除かれます。これにより残りは同族会社と事業を譲り受けた特殊関係者の第二次納税義務の２項目です。

最後に(3)の「契約や取引などについて金銭的な利益を限度」という条件ありますから金銭限度のある第二次納税義務と考えられます。これにより同族会社と事業を譲り受けた特殊関係者の第二次納税義務の２項目が正解ということになります。

第二次納税義務に関しては出題頻度の高いものだけを暗記しているだけではなく、今後は事例形式の出題に対する解答方法や本問のような特殊性のある問題に対しても判断力を養うような学習を進めて下さい。

問３

国税に関する納期限、法定納期限又は法定納期限等に関しては各税法、又は国税通則法若しくは国税徴収法においてそれぞれ定められています。これにより具体的な納期限などについては各税法に従うことになります。また、この納期限内に申告納付できなかった場合などの修正申告や期限後申告、さらに更正や決定処分についても納期限や法定納期限等がそれぞれ定められています。

本問では、これらについて修正申告分の相続税、更正処分に係る重加算税、繰上請求に係る所得税について納期限、法定納期限または法定納期限等の日付を個別に解答させる出題となっています。それぞれが混乱してしまう可能性がありますので、整理して考えながら解答の記述が必要です。

設問１

相続税の場合、納税義務の成立は相続開始を知った日(被相続人の死亡日)である令和４年５月25日であり、法定納期限は相続開始を知った日の翌日から起算して10月以内ですから令和５年３月25日になります。

この相続税について修正申告書を提出していますが、この修正申告の法定納期限は本来の納期限と同一日である令和５年３月25日になります。また、修正申告に係る具体的な納期限と法定納期限等は修正申告書の提出日である令和５年11月20日です。

設問２

ここでは更正処分に係る法人税と逋脱行為による重加算税を区別して考えなければなりません。

更正処分の法人税の法定納期限は本来の納期限である令和６年５月31日です。この更正処分に係る法人税の納期限は更正通知書が発せられた令和６年７月５日の翌日から起算して１月を経過する日である令和６年８月５日になります。なお、法定納期限等は更正通知書を発した日の令和６年７月５日です。

また、重加算税の法定納期限は本来の法人税の法定納期限と同様の令和６年５月31日です。さらに重加算税の納期限は賦課決定通知書が発せられた令和６年７月20日の翌日から起算して１月を経過する日である令和６年８月20日、また法定納期限等は賦課決定通知書を発した日の令和６年７月20日になります。

設問３

繰上請求は緊急的な事象の発生により本来の納期限を繰り上げてその納付を請求する手続です。この繰上請求が行われても法定納期限は本来の所得税の法定納期限であり、本問では令和６年３月15日ということになります。

しかし、繰上請求は納期限を繰り上げることを目的にしていますから、納期限は繰上請求書に記載された具体的な納期限である令和６年３月５日になります。また、法定納期限等も同様にこの繰上請求の行われた令和６年３月５日として考えます。

＊参 考

設問	種　　類	法定納期限	納　期　限	法定納期限等
1	修正申告	令和５年３月25日	令和５年11月20日	令和５年11月20日
2	重加算税	令和６年５月31日	令和６年８月20日	令和６年７月20日
3	繰上請求	令和６年３月15日	令和６年３月５日	令和６年３月５日

〔第二問〕

本問は国税徴収法第17条譲渡前に設定された質権又は抵当権の優先、同法第22条担保権付財産が譲渡された場合の国税の優先、同じく第24条譲渡担保権者の物的納税責任に関する出題です。これらを設問に従い解答する場合には下記の点に着目する必要があります。

設問１

本問は第22条担保権付財産が譲渡された場合の国税の優先に関する出題です。ただし、譲渡前に滞納者である譲渡人甲がその法定納期限等後に複数の抵当権を設定している点に注意が必要です。

なお、問題で指示がある通り設例3.で土地Ｎの取得、また、設例4.で自宅不動産の譲渡担保の設定がありますが、この設問では土地Ｍだけを取上げて解答することになります。

1. 配当金額

このとき第一次配当として譲受人乙の滞納法人税へ250万円の配当がすでに行われているので650万円(＝900万円－250万円)で配当金額を考えることになります。配当順位は譲渡人甲が法定納期限等後に設定した抵当権の順序により行います。

① Ａ抵当権　450万円
② Ｂ抵当権　200万円
　　　　　　650万円　…900万円－第一次配当の乙の法人税：250万円

第４予想（解答・解説）

2. 仮定配当金額

ここでは譲渡された土地Mを滞納者である譲渡人甲の財産とみなし、その土地Mの換価代金につき譲渡人である納税者甲の滞納所得税の交付要求があったものとした場合の抵当権者A及びBが被担保債権として配当を受けることができる金額をそれぞれ求めることになります。

③	滞納所得税	300 万円	
④	A抵当権	450 万円	
⑤	B抵当権	150 万円	…900 万円－③：300 万円－④：450 万円
		900 万円	

3. 徴収できる金額

上記 1.のA抵当権及びB抵当権の配当金額から、同じく 2.のA抵当権及びB抵当権の仮定配当金額を控除した金額の合計である 50 万円が譲渡人甲の滞納所得税としてX税務署長が徴収することができる金額になります。

①－④＝0

②－⑤＝50 万円 … 50 万円 ＜ 300 万円　　∴ 50 万円

設問 2

本問では土地Nの譲渡に関連して、国税徴収法第 17 条の譲渡前に設定された質権又は抵当権の優先の規定により配当金額を求めることになります。

設問 2 では滞納者甲は新たに抵当権付の土地Nを購入しています。この土地Nに滞納者甲の所得税の滞納処分が行われており、これによる配当金額を計算することになります。このとき譲渡前に設定されているC抵当権は滞納者甲の滞納所得税に優先します。したがって、第一順位としてC抵当権へ250 万円が配当されることになります。

国税徴収法では滞納国税と質権及び抵当権の優劣を判定する場合に「予測可能の理論」によることを基本とします。これは抵当権や質権の設定が法定納期限等以前であれば抵当権者又は質権者は滞納の発生を予測することは不可能です。また、抵当権者又は質権者は抵当権若しくは質権が設定された財産が、その設定後に譲渡されること、さらに譲受人が滞納者であり滞納処分が開始されるということも予測することはできません。そこでこの予測ができなかったこれらの抵当権や質権については、国税に対して優先権を認めようというのが「予測可能性の理論」の根拠ということになります。

これにより換価代金 400 万円が、第 1 順位で譲渡前のC抵当権に 250 万円、次に第 2 順位で甲の滞納所に 150 万円が配当されることになります。

設問 3

本問は譲渡担保権者の物的納税責任の出題ですが、譲渡担保権者が財産譲受後に２つの抵当権を設定している部分に特徴があります。さらにこの２つの抵当権と譲渡担保設定者である滞納者の国税の優劣を判定する際の法定納期限等を告知書を発した日と推定して換価代金の配当額を計算する点も考慮しなければなりません。

解答に際しては、譲渡担保権者に対し告知書の送付が現時点で行われていませんが、近日中にその送付が行われると推定して、この日を法定納期限等とみなし譲渡担保権者が設定したD抵当権及びE抵当権との優劣を判定することになります。

また、徴収できる金額については問題文より土地M及び土地Nの滞納処分が完了していることから、滞納所得税 300 万円全額ではなく、未徴収の 100 万円(＝滞納国税:300 万円－設問1:50 万円－設問2:150 万円)を対象にする点にも注意しなければなりません。

譲渡担保権者の物的納税責任の出題は 2023 年第二問において国税徴収法施行令第9条の譲渡担保財産から徴収する国税及び地方税の調整の特例から行われています。また、過去において 1993 年、2003 年さらに 2011 年(下記の参考。)には国税徴収法の基本通達第 24 条関係 21(3)における「納税者の国税と譲渡担保権者の国税等との関係」を基礎とした出題も行われています。今年度（2024 年）に譲渡担保関連の出題が連続して行われるかどうかは疑問のあるところです。しかし、昨年 2023 年の配当金額を求める出題内容を考えると、下記のような基本通達第 24 条関係 21(3)における「納税者の国税と譲渡担保権者の国税等との関係」の事例問題についても対策が必要と思われます。

参考　2011 年(平成 23 年度)第 61 回 税理士試験より

〔第二問〕　－50 点－

次の設例において、以下の各問に答えなさい。なお、土日、祝日等は考慮する必要はない。また、解答は答案用紙の指定欄に記載すること。

〔設　例〕

1. 滞納者甲は、次の国税を滞納しているが、既に事業を廃止しており、所有財産はない。
   (1)　平成 20 年分申告所得税確定申告分 500 万円（申告書提出日：平成 21 年3月 15 日）
   (2)　平成 21 年分申告所得税確定申告分 400 万円（申告書提出日：平成 22 年6月 27 日）
2. A税務署の徴収職員が、上記 1.の滞納国税を徴収するため滞納者甲の財産調査を行ったところ、滞納者甲は、平成 22 年5月 25 日、乙（B税務署管内に居住）からの借入金 1,500 万円の担保として、所有する不動産（以下「本件不動産」という。）を乙に譲渡し、同日、その旨の所有権移転登記を行っている事実が判明した。
3. 本件不動産の権利関係は、次のとおりである。
   (1)　平成 22 年 7 月 30 日　抵当権設定登記（抵当権者P銀行、債務者乙、被担保債権額 800 万円）
   (2)　平成 22 年 12 月 9 日　B税務署長差押（滞納者：乙、滞納国税：平成 21 年分申告所得税更正分 200 万円、更正通知書を発した日：平成 22 年7月 15 日、納期限：平成 22 年8月 15 日）
   (3)　平成 23 年3月 19 日　C市長参加差押（滞納者：乙、滞納地方税 300 万円、法定納期限等：平成 22 年 10 月 31 日）

問　A税務署長が本件不動産から滞納者甲の滞納国税を徴収できるとした場合において、本件不動産が公売により 1,600 万円で売却されたときの各債権者に対する換価代金の配当額について、計算過程とその根拠を示して答えなさい。

なお、滞納処分費、利息、遅延損害金、延滞税及び延滞金並びに各債権者の債権額の変動については一切考慮する必要はない。

〔解答例〕

1. 本件の状況

本件では乙の更正分の所得税200万円及び地方税300万円、さらにP抵当権800万円、並びに物的納税責任に係る甲の申告所得税500万円*が、いわゆるぐるぐる回りの状態になっているため下記の方法で各租税、私債権への配当金額を計算することになる。

＊ 甲の滞納国税は平成20年度分と平成21年度分があるが、平成21年度分の申告書提出日が譲渡担保設定の平成22年5月25日後の平成22年6月27日であるためにぐるぐる回りの対象にはならない。

2. 租税公課グループと私債権グループへの配当総額

(1) グルーピング基礎額

国税及び地方税等並びに私債権につき、法定納期限等又は設定、登記、譲渡若しくは成立時期の古いものからそれぞれ順次に国税徴収法又は地方税法その他の法律の規定を適用して国税及び地方税等並びに私債権に充当すべき金額の総額をそれぞれ定める。

①	法定納期限等	平成22年7月15日	乙の更正分の所得税	200万円
②	設定登記	平成22年7月30日	P抵当権	800万円
③	法定納期限等	平成22年10月31日	乙の地方税	300万円
④	法定納期限等	告知書の発送する日＊	物的納税分の所得税	300万円
				1,600万円

＊ 現時点では譲渡担保権者に告知書を発していないが、今後その発送が行われるとみなし最後の順位として500万円の内300万円だけが充当額と考える。

(2) 租税公課グループの総額

①	乙の更正分の所得税	200万円
③	乙の地方税	300万円
④	物的納税分の所得税	300万円
		800万円

(3) 私債権グループの総額

② 設定登記　P抵当権　800万円

3. 個々の租税公課への配当

本事例の場合には国税徴収法施行令第9条の定めにより、物的納税責任に係る納税者甲の申告所得税分が差押えされているものとみなされ、乙の更正分の所得税と地方税は、これに交付要求若しくは参加差押をしたものとみなされることになる。このために租税公課の配当金額は下記の通りとなる。

第1順位	物的納税分の甲の所得税	500 万円	… みなし差押
第2順位	乙の更正分に係る所得税	200 万円	… みなし交付要求
第3順位	乙の参加差押に係る地方税	100 万円	… みなし参加差押
		800 万円	

4. 個々の担保権付私債権への配当

上記2.で算定された私債権への配当額は 800 万円であり、これは全額Ｐ抵当権に配当されることになる。

第1順位	平成22年7月30日設定	Ｐ抵当権	800 万円

5. 最終的配当金額

各債権者に対する換価代金の配当金額は、上記3.及び4.により下記の通りである。

(配当金額)

甲の滞納所得税	500 万円
乙の更正分に係る所得税	200 万円
乙の参加差押に係る地方税	100 万円
Ｐ抵当権	800 万円
	1,600 万円

令和６年度　税理士試験
国税徴収法　過去問

平成28年度（第66回）

第66回（解答・解説編）

〈解答・解説〉

◆目標解答時間とボリューム・難易度

	目標解答時間	ボリューム	難易度
第一問	60 分	★★★☆☆	★★☆☆☆
第二問	60 分	★★★☆☆	★★★★☆

◆解答作成の戦略

・**第一問**：問１はそれぞれの差押禁止について説明をします。このとき条件付差押禁止財産がどのような事情によるものなのかを明確にしながら両者の相違する理由を記述することになります。なお第三者が賃借している機械の差押は権利保護関係をそのまま記述してください。問２も両者の要件を明確にすればよいでしょう。

・**第二問**：被相続人の滞納国税と相続人が相続する財産、あるいは固有財産を基本にしてその関係をそれぞれ説明することになります。問１と問２は比較的容易に記述が可能です。したがって模範解答に示す正解が目標です。しかし問3は状況が複雑ですので図解などにより落ち着いて解答を組み立ててから記述をしてください。

〔第一問〕　－50点－

問１

(1)

（イ）　絶対的に差押えが禁止される場合

技術者、職人、労務者その他の主として自己の知的又は肉体的な労働により職業又は営業に従事する者(自己の労力により農業又は漁業を営む者を除く)のその業務に欠くことができない器具その他の物（商品は除く。）は差し押さえることができない。

（ロ）　条件付きで差押えが禁止される場合

職業又は事業（農業又は漁業を除く。）の継続に必要な機械、器具その他の備品及び原材料その他たな卸しをすべき資産は、滞納者がその国税の全額を徴収することができる財産で、換価が困難でなく、かつ、第三者の権利の目的となっていないものを提供したときは、その選択により、差押をしないものとする。

（ハ）　(イ)と(ロ)の対象となる財産の範囲が異なる理由

滞納国税の徴収のためには金銭化できる財産は差押えて換価すべきである。しかし最低生活の保障や生業の維持、精神生活などのために必要な財産は、滞納処分といえども差押をすべきではなくこれを(イ)で絶対的に差押が禁止される財産として定めている。

これに対して(ロ)の条件付き差押禁止財産は、滞納者の職業や事業の継続に必要な財産に滞納処分の執行する代替として、滞納者に処分が容易な他の財産が存在し、このような差押財産の提供があった場合にはその職業や事業に必要な財産に差押を執行しないという、差押財産の選択を一部滞納者に認めている点に相違がある。

(2)

滞納者の所有する機械を賃借している第三者は、滞納処分にあたりその引渡しを拒むことが認められる。しかし滞納者が他に換価が容易であり、かつ滞納に係る国税の全額を徴収することができる財産を有しないと認められるときに限り、税務署長はその第三者に対して期限を指定して徴収職員に機械を引き渡すべきことを書面により命ずることができる。

このときに徴収職員は、この機械を賃借している第三者の請求がある場合には、その賃借契約の解除を行う場合を除き、その機械の占有の基礎となっている契約期間内(最長３ヶ月間)は、その第三者にその使用収益をさせなければならない。

問２

⑴　要件

（イ）　納税の猶予

税務署長等は、納税者が病気を理由にその納付すべき国税を一時に納付することができないと認められるときには、納税者からの納税の猶予に関する申請により１年以内の期間に限り、その納税の猶予をすることができる。

（ロ）　申請による換価の猶予

税務署長は、滞納者がその国税を一時に納付することによりその事業の継続又はその生活の維持を困難にするおそれがあると認められる場合において、その者が納税について誠実な意思を有すると認められるときは、その国税の納期限から６月以内にされたその者の申請に基づき、１年以内の期限に限り、その納付すべき国税（納税の猶予の適用を受けている国税を除く。）につき滞納処分による財産の換価を猶予することができる。

⑵　効果

（イ）　納税の猶予

①　税務署長等は納税の猶予をした場合には、その猶予期間内は、その猶予に係る金額に相当する国税につき、新たな督促及び滞納処分（交付要求を除く。）をすることができない。

②　税務署長等は納税の猶予をした場合には、その猶予に係る国税につき既に滞納処分により差押えた財産があるときは、猶予を受けた者の申請に基づき、その差押を解除することができる。

③　納税の猶予に係る国税の延滞税のうち、猶予期間に対応する部分の全額が免除される。

（ロ）　申請による換価の猶予

①　税務署長は、猶予期間内は猶予に係る国税につき財産の換価はできないが、交付要求、参加差押又は新たな差押はすることができる。

②　税務署長は換価の猶予をする場合において、必要があると認められるときは、差押により滞納者の事業の継続または生活の維持を困難にするおそれがある財産の差押を猶予し、又は解除することができる。

③　換価の猶予に係る延滞税のうち、猶予期間に対応する 1/2 の金額の免除、あるいは一定の要件を満たす場合その全額が免除される。

〔第二問〕　－50点－

問１

⑴　徴収すべき財産、金額

①　徴収すべき財産 … Ａ株式

②　徴収すべき金額 … 500 万円

③　徴収できる理由

相続人乙、及び丙のうち乙は単純承認、丙は放棄をしているために相続人乙からの滞納国税の徴収が検討される。

このときに被相続人甲の滞納所得税につき相続人乙の財産を差押える場合には、滞納処分の執行に支障がない限り、まず相続財産であるＡ株式を差押えるように努めなければならない。

これによりＡ株式の評価額 800 万円から被相続人甲の滞納所得税 500 万円相当額が徴収可能な金額となる。

⑵　税務署長に対して請求することができる手続

被相続人甲の滞納所得税につき相続人乙の固有財産であるＢ不動産が差押えられた場合、その相続人乙は税務署長に対して下記の要件のすべてを満たす相続財産Ａ株式を有することを理由に、Ｂ不動産の公売公告の日までに、その差押換を請求することができる。

①　Ａ株式が換価の容易なものであること

②　Ａ株式が第三者の権利の目的になっていないこと

③　Ａ株式の換価により滞納所得税 500 万円の全額徴収が可能であること

問２

⑴　徴収すべき財産 … Ｅ株式

⑵　徴収すべき金額 … 500 万円

⑶　徴収できる理由

徴収職員は滞納者甲の滞納所得税 500 万円のために相続人乙の財産を差押える場合には滞納処分の執行に支障がない限り、その財産につき第三者が有する権利を害さないように努めなければならない。

これにより被相続人甲の遺産であるＤ不動産には抵当権が設定されていることから、これを配慮すべきであり、相続人乙の所有するＥ株式 500 万円から甲の滞納所得税 500 万円を徴収すべきである。

問３

⑴　徴収すべき財産、金額

所得税①　…　Ｆ不動産、300万円

所得税②　…　Ｇ不動産、200万円

⑵　徴収できる理由

＜所得税①に関して＞

被相続人甲の相続について相続人は乙のみであり、限定承認をしているために乙が相続するＦ不動産の範囲で甲の所得税について徴収を検討することになる。

なおこのＦ不動産は甲の所得税の滞納処分執行後に甲本人が死亡しているが、滞納処分を続行することができる。

このＦ不動産には所得税①の法定納期限等である平成27年３月15日以前に抵当権Ｙが平成25年10月１日に設定されており、この抵当権Ｙ400万円が滞納所得税①に優先するために残額300万円（＝700万円－400万円）をＦ不動産から徴収することができる。

＜所得税②に関して＞

所得税②は相続人乙自身の滞納国税である。したがってその徴収は乙の固有財産であるＧ不動産と今回の相続財産であるＦ不動産がその対象になる。

ただしＦ不動産には抵当権Ｙが平成25年10月１日に400万円設定されており、これは所得税①の法定納期限等の平成27年３月15日以前、また所得税②の法定納期限等である相続のあった平成28年７月１日以前である。さらに所得税①の差押が平成27年12月１日に行われているためにＦ不動産からは所得税②を徴収することはできない。

したがって、所得税②はすでに平成26年９月１日に差押が行われているＧ不動産からその評価額200万円が徴収されることになる。

解　説

〔第一問〕

問１

⑴　**差押禁止財産**

国税徴収法は滞納国税の徴収のために、基本的に滞納者の総財産について滞納処分の対象としています。しかし、実際には滞納者個人の最低生活の保障、生業の維持さらに精神生活や社会保障制度などの理由から特定の財産については滞納処分を執行しないこととしています。

これにより絶対的差押禁止財産として、農業、漁業さらに特定の職業に従事する者の生業に欠くことができない財産を定めています。本問では特に農業、漁業従事者以外の職業又は事業の用に欠くことができない絶対的差押禁止財産について、さらにこれらの事業者がある程度の規模によりその事業を営む場合の事業に必要な財産である条件付き差押禁止財産について問われています。

この絶対的差押禁止財産と条件付き差押禁止財産の範囲が異なる理由は生業であるか、あるいはある程度の事業規模の維持を前提として、本来徴収職員の権限である差押財産の選択を滞納処分が容易に可能であり滞納国税の全額を徴収できる財産の提供を条件に、滞納者に差押財産の選択権の一部を認めたものです。

⑵　**動産の引渡命令を受けた第三者の賃借**

滞納者の動産又は有価証券でその親族その他の特殊関係者以外の第三者が占有している財産は、その第三者が引渡しを拒むときは、差し押さえることができません。

しかし、その第三者が引渡しを拒んだとしても、滞納者が他に換価の容易であり、かつ、その滞納に係る国税の全額を徴収することができる財産を有しないと認められるときに限り、税務署長はその第三者に対して期限を指定して、動産又は有価証券を徴収職員に引き渡すべきことを書面により命ずることができます。

これにより第三者は滞納者との間の賃借契約などを解除することができ、この解除により生じた損害賠償について、その財産の換価代金から配当を受けることができます。

また、一方で契約を解除することなく契約の期間内引き続き賃借を継続することもできます。ただし、この賃借の期間は動産を差押えた日から最長３カ月間とされています。

問２

国税通則法と国税徴収法には緩和規定として、それぞれ納税の猶予と換価の猶予という制度が設けられています。この二つの制度の大きな違いは納税の猶予は納期限の猶予であり、換価の猶予は滞納処分に関する猶予という点です。

本問では病気を理由にこれらの緩和規定の適用を受けることについて、その具体的な要件の相違と猶予後の効果の違いを記述させることを題意としています。

従来、納税の猶予は納税者からの申請を基本にし、換価の猶予は税務署長の職権による適用が原則でありました。しかし現在は換価の猶予も滞納者からの申請によりその適用が認められます。なお解答にあたっては、換価の猶予の要件の方に詳細な記述が必要です。

また、両者の効果上の差異は、猶予後の督促や滞納処分の可否について記述をすることになります。

〔第二問〕

問１

⑴ 徴収すべき財産と徴収できる金額

被相続人甲の相続人は乙と丙であるが、丙は相続の放棄をしていることを考慮して相続人乙からの徴収を中心に検討することになります。この時、被相続人甲の相続財産であるＡ社株式800万円は相続人乙に相続され、甲の滞納所得税500万円はこのＡ株式800万円からの徴収が可能です。このために相続人の固有財産であるＢ及びＣ不動産からの徴収は考慮する必要ありません。

⑵ 相続人の差押換え

被相続人甲の滞納所得税につき相続人乙の固有財産であるＢ不動産が差押えられた場合には、相続人乙は税務署長に対して一定の要件を満たしているために相続財産Ａ株式を有することを理由にその差押換を請求することができます。

問２

徴収職員は被相続人の滞納国税につきその相続人の財産を差押える場合には、滞納処分に支障がない限り、まず相続財産から差押をすべきです。また、やむを得ず相続人の固有財産につき差押を行う場合にも、第三者が有する権利を害さないように努めなければなりません。

本問では相続財産であるＤ不動産には抵当権Ｘが設定されているために滞納処分を執行すべきではなく、相続人乙の固有財産であるＥ株式500万円から相続人甲の滞納所得税500万円を徴収することになります。

問３

＜所得税①300万円のＦ不動産からの徴収＞

相続人乙は限定承認をしているためにＦ不動産の評価額700万円の限度において被相続人甲の滞納所得税①の500万円の納付義務を負うことになります。

ただし、Ｆ不動産には、平成27年３月15日の所得税①の法定納期限等以前である平成25年10月１日に抵当権Ｙ400万円が設定されており、これにより滞納所得税①に優先するために300万円（＝700万円－400万円）だけが徴収可能となります。

<所得税②200 万円のＧ不動産からの徴収>

所得税②は相続人乙の滞納国税です。したがって滞納処分が可能な財産は限定承認に係るＦ不動産と乙の固有財産であるＧ不動産が対象になります。この時、Ｆ不動産には平成 25 年 10 月 1 日に抵当権Ｙが設定されており、この抵当権Ｙは下記の所得税①及び②の法定納期限等以前に設定されているためにいずれの所得税にも優先している。なお相続財産であるＦ不動産から相続人乙の滞納所得税②を徴収しようという場合の法定納期限等はその相続のあった日となります。

所得税①の法定納期限等（法定申告期限）　→　平成 27 年 3 月 15 日

所得税②の法定納期限等（相続のあった日）→　平成 28 年 7 月 1 日

さらにこのＦ不動産は平成 27 年 12 月 1 日に所得税①により差押が行われており、総合的に勘案しても所得税②には配当されることはないと判断できます。

また、乙の固有財産であるＧ不動産には所得税②の徴収のための差押が平成 26 年 9 月 1 日に行われています。したがって滞納所得税②400 万円の徴収は、このＧ不動産から 200 万円だけが徴収されることになります。

令和６年度　税理士試験
国税徴収法　過去問

平成29年度（第67回）

第67回（解答・解説編）

〈解答・解説〉

◆目標解答時間とボリューム・難易度

	目標解答時間	ボリューム	難易度
第一問	60 分	★★★☆☆	★★☆☆☆
第二問	60 分	★★★☆☆	★★☆☆☆

◆解答作成の戦略

・**第一問**：問１は納税の猶予の連続適用に関する問題です。災害発生の場合には国税通則法第46条が適用されますが、本問ではどのような関連で第何項の規定が適用されるか解答をしてください。問２は例年にない難問です。事例内容と各規定の要件を照らし合わせて、保全措置として該当する解答がいくつあるか、またその順序を考えてから記述をしてください。本問では解答欄の数も重要なヒントになっています。

・**第二問**：上記第１問の難易度とは正反対に至って平凡な問題です。第２問で第１問の失点を挽回することができます。出題は自動車修理会社からの滞納者所有の自動車引取り、さらにこれに関する留置権の優先です。もう一問は、同族会社の第二次納税義務であり、これも複雑な内容ではありません。第二問では高得点を狙える答案を作成してくだい。

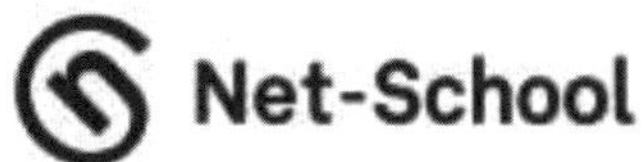

〔第一問〕　－50点－

問１

災害に関する「納税の猶予」については、国税通則法第46条、第１項「納期限未到来の納税の猶予」また第２項「災害等の納税の猶予」の２つの規定が設けられている。
本問の納期限前の災害により被害を受けた納税者の申告所得税（確定申告分）に関しては、下記の３つの規定が適用され、最長３年間の猶予が行われる。

１．納期限未到来の納税の猶予
納税者につき納期義務の成立し、納期期限が到来してない時点で震災、風災害、落雷、火災その他これらに類する災害により、その財産に相当な損失を受けた場合、災害のやんだ日から２月以内の納税者の申請により、納期限から最長１年に限り、その納税が猶予される。

２．災害等による一般の納税の猶予
納税者がその財産について、災害、風水害、落雷、火災その他の災害を受け、又は盗難にあった場合で、その事実によりその国税を一時に納付することができない場合に納税者の申請により、上記１．の期限未到来の納税の猶予の適用を受けていないことを条件に１年以内の期間に限り、その納税が猶予される。

３．災害等の納税の猶予の延長
上記２．の災害等の納税の猶予が１年間適用された後、納税者の資力の回復がないと認められる場合には、同一の災害を理由にその猶予期間をさらに１年間延長することができる。

４．最長とされる猶予期間
上記の通り、国税通則法第46条により災害を理由に、第１項により納期限未到来の納税の猶予として１年、また第２項の災害等の納税の猶予として１年、さらに第７項により第２項を再延長して１年間の猶予の適用が考えられ、その結果最長３年間の納税の猶予の適用をうけることが考えられる。

問２

(1)

イ　差押えの始期：平成28年２月１日

ロ　差押えの要件：保全差押
納税義務があると認められる者が不正に国税を免れたこと、又は国税の還付を受けたことの嫌疑に基づき、国税通則法の規定による差押え、記録命令付差押え若しくは領置、又は刑事訴訟法の規定による押収、領置若しくは逮捕を受けており、その処分に係る国税の納付すべき額の確定後においてはその国税の徴収を確保することができないと認められる場合、税務署長は確保すべき金額を保全差押金額として決定し、その金額を限度にその者の財産を直ちに差押することができる。

ハ　上記イの日付となる理由：

平成 27 年３月決算分の法人税の確定申告分の国税の納税義務は確定しており、この期間に係る法人税の国税通則法の強制調査を受けている事実がある。この更正処分による税額確定前であるが、確定後にその金額の確保が困難と認められる場合、確保すべき金額をあらかじめ保全差押金額とし、その金額を差押することができる。

本事例では平成 28 年２月１日に国税通則法の強制捜査が執行されているために同日以降であれば、この保全差押をすることが可能である。

(2)

イ　差押えの始期：平成 28 年 10 月 31 日

ロ　差押えの要件：繰上請求による差押

税務署長は、納税者が偽りその他不正の行為により国税を免れ、若しくは免れようとし、若しくは国税の還付を受け、若しくは受けようとしたと認められるとき、又は納税者が国税の滞納処分の執行を免れ、若しくは免れようとしたと認められるときには、納付すべき税額の確定した国税で、その納期までに完納されないと認められる金額について、その納期限を繰り上げ、その納付を請求することができる。

この場合に、納税者がこの繰り上げた納期限までにその請求に係る国税を納付しないときは、徴収職員は滞納者の財産を直ちに差押なければならない。

ハ　上記イの日付となる理由：

問題文中では、X税務署長がA株式会社に対して更正通知書を発したのが平成 28 年 10 月 31 日午前 10 時であり、この時点で税額が確定している。

またこの国税の更正処分は不正に国税を免れたことによるものであるために、その納期限を 10 月 31 日午前 10 時まで繰上げをすることも理論上は可能である。さらにこの繰上に係る納期限に納付ができないときには、直ちに差押をすることが可能である。

(3)

イ　差押えの始期：平成 28 年 12 月１日

ロ　差押えの要件：繰上差押

国税の納期限後督促状を発した日から起算して 10 日を経過する日までに、その督促を受けた滞納者について繰上請求をすることができる事実が発生しているときは督促状を発して 10 日を経過する前であっても徴収職員は直ちにその財産を差押することができる。

ハ　上記イの日付となる理由：

X税務署長が行った更正処分に係る納期限は平成 28 年 11 月 30 日である。この納期限にその国税の納付が行われない場合には、督促に基づく差押が平成 28 年 12 月 12 日に行われる。

ただし、本事例では、すでに国税通則法による強制調査による更正処分が行なわれていることを鑑みて、本来の期間を短縮することが可能であり。納期限の 11 月 30 日の翌日である 12 月１日に督促状の送付と同時に繰上差押をすることができる。

⑷

イ　差押えの始期：平成28年12月12日

ロ　差押えの要件：通常の差押処分

国税に滞納がある場合、原則として納期限から50日以内の督促状の送付による督促を前提に、その督促状を発した日から起算して10日を経過した日までに督促に係る国税の納付がない場合、その滞納者の財産を差押えなければならないとされている。

ハ　上記イの日付となる理由：

本事例では更正処分に係る納期限である11月30日にその国税が納付されない場合、納期限の翌日である12月1日に直ちに督促状を発送し、10日を経過した12月11日までに納付がされない場合、翌日の12月12日に差押をすることになる。

⑸

＊　解答用紙では、この⑸の解答欄が用意されていたが、事例内容と問題文における「理論上、滞納処分による差押えをすることができることとなり得た時期」を勘案しても妥当と思われる諸手続きがないと思われ空欄としている。

〔第二問〕　－50点－

問1

⑴　占有するための措置：

①　引渡命令

Ｘ税務署長は、滞納者Ａの自動車を占有している第三者であるＰ株式会社に対して期限を指定してその自動車の引渡を命令することができる。この引渡命令は書面により行われ、その引渡日は、その書面を発する日から起算して7日を経過した日以後の日としなければならない。

ただし、第三者であるＰ株式会社に繰上請求等やむを得ない事由が生じた場合にはこの期間を短縮することができる。

またこの引渡命令がＰ株式会社に対して行われた旨を滞納者Ａに対しても通知しなければならない。

②　引渡後の占有

徴収職員はＰ株式会社に対する引渡命令による自動車の引渡しを受けた場合はもちろん、また指定された期限までにその引渡が行われない場合にもその自動車を占有することができる。

⑵　徴収することができる金額：　700万円

理由：

滞納者Ａが所有する自動車を占有する第三者であるＰ株式会社から引渡しを受けた後に換価した場合、滞納者Ａの申告所得税 1,000 万円とＰ株式会社の有する留置権により担保される債権 100 万円が競合することになる。

この場合には国税徴収法の規定により、滞納国税より滞納処分の目的となる財産上の留置権により担保される債権の方が優先する。このために自動車の換価代金（評価額）800 万円は、まず留置権により担保される債権に 100 万円配当され、残額 700 万円（＝800 万円－100 万円）が滞納者Ａの国税に充てられることになる。

問２

⑴　徴収のための措置とその要件：

①　同族会社の第二次納税義務

本問の事例によれば、下記の要件を満たすものと考えられるために「同族会社の第二次税義務」の適用によりその徴収が可能である。

イ）滞納者であるＡをその判定の基礎として選定した場合に同族会社であるＱ株式会社の株式を保有している。

ロ）滞納者Ａの所有するＱ株式会社の株式につき再度換価に付しても買受人がないこと、あるいは株券の発行がないためにその譲渡につき支障があること。

ハ）滞納者Ａが所有する上記イ）の同族会社に該当する株式以外に滞納処分を執行しても、なお徴収すべき財産に不足があると認められること。

②　Ｒ国との租税条約

Ｒ国との租税条約により、徴収の共助に関する規定が締結されているのでＲ国所在の別荘用地からも滞納者Ａの国税を徴収することができる。

⑵　徴収することができる金額：　700 万円

理由：

①　同族会社の第二次納税義務

滞納申告所得税の法定納期限である平成 28 年３月 15 日の１年前の日後である平成 27 年 11 月１日にＡが取得したＱ株式会社の株式の 100 株の価額を限度にして滞納国税が徴収できる。

（8,000 万円　－　6,500 万円）÷　500 株　×　100 株　＝　300 万円

②　Ｒ国との租税条約

Ｒ国所在の別荘用土地 400 万円についても徴収が可能である。

③　徴収することができる金額

Ｘ税務署長は、上記の①の 300 万円と②の 400 万円の合計である 700 万円が徴収可能の金額である。

解　説

〔第一問〕

問 1

第 66 回と同様の納税の猶予に関する出題でした。記述すべき内容は災害関係の納税の猶予であり国税通則法第 64 条第 1 項の納期限未到来の納税の猶予と第 2 項の災害等の一般の納税の猶予、またこれに関する再延長を問うという基本的な出題であり、難易度はそれほど高くなくほとんどの受験生が最長 3 年という期間が解答できたと思われます。

問 2

緊急保全措置に関する差押についての出題であり、理論上の更正処分に関する法人税の差押を早い順に記述させるという受験生には少々難易度の高い出題でした。早い順という解答の条件が付されていますのでその順番が前後しているものは、内容が正しくても不正解となると思われます。なお全項目を 5 項目として解答欄が用意されていますが、実際には繰上保全差押は更正処分に関する手続きには該当しないと考えて解答とはしていません。

〔第二問〕

問 1

第三者に対する動産の引渡し命令と留置権により担保されている債権と滞納国税に関する配当金額に関する出題で難易度はあまり高くなくほぼ完璧な解答ができたと思われます。

問 2

同族会社の第二納税義務を中心にした徴収可能額の出題であり、この点に関しては基本的な出題であったと思われます。またR国所在の不動産に関しては国税徴収法の試験範囲ではないような印象もありますが、租税条約による滞納の共助の規定の説明があるので徴収可能の金額としています。

令和６年度　税理士試験
国税徴収法　過去問

平成30年度(第68回)

第68回(解答・解説編)

〈解答・解説〉

◆目標解答時間とボリューム・難易度

	目標解答時間	ボリューム	難易度
第一問	65 分	★★★☆☆	★★★☆☆
第二問	55 分	★★☆☆☆	★★☆☆☆

◆解答作成の戦略

・**第一問**：問１では見積価額とその公告に関する制度の根拠や背景が問われており少々解答には苦慮します。まずは見積価額の規定を記述してから、学習で学んだ知識で根拠や背景を説明すれば十分です。問2は賃借権者への通知から差押換の請求をさせることを結論とすることを記述します。最後の問３は抵当権付の土地の譲渡について、無償又は著しい低額の財産譲受人等の第二次納税義務を解答することになります。

・**第二問**：問１では換価の猶予を取消なければならないことが容易に判断できますので、その取消について、また物上保証人の財産からの国税の徴収に関して、その徴収金額を説明します。この配当金額に誤りが無いように注意をしてください。問２は猶予金額の減額と猶予期間の延長についてです。こちらも容易に記述ができます。第２問は全体に解答が容易な内容なので、丁寧に正確な答案を作成してくだい。

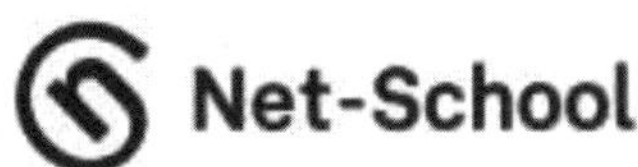

〔第一問〕　－50点－

問１

(1)

見積価額は公売における最低売却価額を意味する。従ってこの見積価額は客観的時価を基準すべきである。しかし公売財産という特殊性から、この客観的時価をそのまま見積価額とすることはできない。これは公売が租税を徴収するための換金手続であること、税務署を中心とした比較的限定された地域内での売却であること、一般的消費者は公売財産の取得を敬遠すること、売却される財産の条件が売主側で一方的に決定され、さらに買受手続が煩雑などの理由によるためである。したがって見積価額は、これらの特殊事情を考慮して決定しなければならないとされている。

(2)

公売は滞納となっている租税を徴収するという特殊な事情の下に行われる特殊な財産の売却方法である。このため通常の財産の処分価額と比較すると客観的時価を下回るのが一般的である。また一方で、できるだけ高額で公売財産を換価をすることは滞納者をはじめ徴収側にも重要な課題である。そこで見積価額という最低売却価額を公売の日よりできるだけ早く公告することにより、一般公衆の公売参加の促進をしようという目的のために見積価額の公告が行われる。これにより不動産については公売の日の 3 日前の日までに見積価額を公告すべきことが定められている。

問２

税務署長は滞納者の財産を差押えるに当たって滞納処分に支障がない限り、その財産につき第三者の権利を害さないように努めなければならないとされている。この時にやむを得ず第三者の権利の目的になっている財産を差押えた場合には、その財産の利害関係者のうち知れている者に対して差押をした旨その他必要な事項を通知しなければならない。これにより差押えた不動産が、賃借権の目的になっていれば、その賃借権を有する者に、その不動産を差押えた旨を通知することになる。

この通知は、賃借権者など第三者に対してその権利保護の機会を与えることを目的にしている。

この通知を受けた賃借権を有する第三者は差押をした税務署長に対して、滞納者が他に換価の容易な財産で、他の第三者の権利の目的になっていない財産を有し、この財産を換価することにより滞納者の国税の全額を徴収できる場合には、差押換の請求をすることができる。

問３

徴収することができる金額：500 万円

理　由：

１．事例の状況に関して

滞納者Ｂは所得税滞納後にその所有する甲土地に抵当権を設定し、その状態のまま親族であるＣに贈与している。この場合、Ａ税務署長は国税徴収法第 39 条の「無償又は著しい低額の譲受人等の第二次納税義務」の適用により滞納者Ｂの国税を財産譲受人のＣから徴収することができる。このための具体的要件などを次の通り検討する。

２．無償又は著しい低額の譲受人等の第二次納税義務の成立要件

次の全ての要件に該当するときは、無償又は著しい低額の財産譲受人等であるＣは、その滞納に係る所得税 600 万円につき第二次納税義務を負うことになる。

(1)　滞納者Ｂがその所有する甲土地を親族Ｃに無償譲渡にあたる贈与をしている。ただしこの時に、贈与をされた甲土地には抵当権が設定されており負担付贈与となっている。

(2)　上記(1)の無償譲渡は平成 30 年２月１日に行われており、これは滞納者Ｂの平成 28 年分の所得税の法定納期限である平成 29 年３月 15 日の１年前の日以後である。

(3)　滞納者Ｂはその唯一の財産である甲土地の無償譲渡により無財産の状況であり、Ｂに滞納処分を執行しても、なおその徴収すべき額に不足すると認められる。

(4)　上記(3)の滞納国税に不足すると認められることが、上記(1)の甲土地の贈与に基因すると認められる。

本事例では上記要件のいずれも満たすために、財産譲受人である親族Ｃに第二次納税義務が生ずることになる

３．第二次納税義務を負う者

本事例の第二次納税義務者は、滞納者Ｂから甲土地を贈与により無償で譲受けた滞納者Ｂの親族であるＣとなる。

４．第二次納税義務の範囲と限度

無償譲渡等の処分が滞納者Ｂの親族であるＣであるために、無償譲渡等の処分により受けた利益の額、つまり甲土地の評価額 900 万円を限度に第二次納税義務を負うことになる。

ただし、本事例の場合は贈与により受けた甲土地の時価が 900 万円であるが抵当権 400 万円が設定された状態で贈与を受け、この抵当権を引受けることにＣが同意しているために、この金額を控除した 500 万円が第二次納税義務の限度額となる。

〔第二問〕　－50点－

問１

徴収できる金額：90 万円

徴収するための措置、理由：

１．事例の状況に関して

本事例では滞納者Ｅが換価の猶予に係る分納税額が納付できない状況が発生している。しかし、この納付困難となっている事情は、やむを得ない理由によるものではない。

したがって、Ｆ税務署長は滞納者Ｅに対する換価の猶予を取消し、猶予に際して親族Ｇが物上保証をしているＦ土地に滞納処分の執行を行い、猶予税額の残額 90 万円を徴収することになる。

２．換価の猶予の取消

⑴　取消事由

Ｆ税務署長は、換価の猶予を受けた滞納者Ｅが分割納付するとした各月 30 万円を納付期限の月末までに行っていない場合には、換価の猶予を取り消すことができる。本事例では、この分割納付できない理由が個人的趣味による資金不足であるために、換価の猶予は取り消されるものと考えることができる。

⑵　手続

Ｆ税務署長は滞納者Ｅの換価の猶予を取り消したときは、その旨を滞納者Ｅに通知しなければならない。

３．物上保証人の担保財産に関する滞納処分

滞納者Ｅの親族であるＧは、Ｅが換価の猶予を受ける際にその所有する乙土地について物上保証を行っている。今回Ｅの換価の猶予が取り消されることになれば、この乙土地が滞納処分の例により処分されることになる。

４．徴収できる金額

本件では、同一財産である乙土地に滞納所得税に係る物上保証としてのＦ抵当権と、物上保証人が自ら設定したＨ抵当権が競合している。このような場合には、国税のＦ抵当権と物上保証人自ら設定したＨ抵当権の優劣を判断しなければならない。

この判定にあたり注意しなければならないのは、滞納となっている所得税に法定納期限等である平成 30 年３月 15 日と、物上保証人が設定したＨ抵当権の設定日平成 29 年７月１日によりその優劣を判定基準としてはならない。これはＨ抵当権者が、Ｇが保証をしている滞納者Ｅの国税の法定納期限等を知ることはできないためである。したがってこのような場合には、抵当権の設定登記順序によりその優劣を判定することになる。

これにより換価代金は、第１順位のＨ抵当権に 300 万円全額が、またこれに次ぎ第２順位のＥの滞納所得税に配当が行われる。ただしＥの滞納所得税 180 万円は４月末から６月末までに毎月 30 万円、計 90 万円がすでに納付されているので、残額 90 万円に相当する金額がＥの滞納所得税分として徴収されることになる。

なお、残額 110 万円（＝500 万円－300 万円－90 万円）は物上保証人Ｇに交付されることになる。

問２

１．事例の状況に関して

換価の猶予に係る毎月の分割額 30 万円が、取引先との受注減少によるために７月末以降資金不足を理由に納付困難な状況にある。この納付困難な事情は、引き続き換価の猶予を継続するための十分な理由があると考えられる。

したがって換価の猶予を継続適用する前提で、分割納付額の減額承認を行い、さらに残存猶予期間を延長する措置を執ることが妥当である。

２．分割納付金額の減額と猶予期間の延長

滞納者Ｅは取引先からの受注額の減少という事情により、当初分割納付するとした 30 万円を毎月末に納付できない状況にある。Ｆ税務署長はこの分割納付できない事由が、やむ得ない理由によるものと判断し、当初の分割納付額 30 万円を納付可能な金額に減額し、さらにその猶予期間を延長することができる。

⑴　分割納付額の変更

本事例では毎月末の納付額 30 万円を今後 20 万円に減額すれば納付可能とのことである。このためＦ税務署長は、換価の猶予を引続き適用することとして、分割納付額を 30 万円から 20 万円に減額承認することができる。

⑵　猶予期間の延長

分割納付する期間は残存期間が３か月であり、７月末以降毎月 20 万円を３か月、計 60 万円納付させても 90 万円全額を完納することはできない。したがってＦ税務署長は、滞納者Ｅに猶予期間の延長を申請させて７月末から 11 月末の５か月間で残額 90 万円の滞納国税を分割納付させることになる。

３．納税者への通知

Ｆ税務署長は換価の猶予に係る期間を延長したときには、その旨を滞納者Ｅに通知しなければならない。

４．担保の継続徴取

本事例では滞納者Ｅが４～６月末に合計 90 万円を納付しており、当初の滞納税額 180 万円が７月現在 90 万円に減少している。法律によれば換価の猶予に係る担保提供は税額が 100 万円以下の場合には必要ない。このために物上保証人による担保解除の請求も考えられる。しかし物上保証人からの解除請求は認められていないために、換価猶予の延長に際しては引続き親族Ｇを物上保証人として乙土地に抵当権を設定し続けることが妥当である。

解　説

〔第一問〕

問 1

公売は特殊な財産の売却方法であり、見積価額がどのような性格を持ちどのように決定されるかの事情を解答しなければなりません。また見積価額の公告は最低売却価額を広く一般に公表し、一般公衆も公売参加に関心を持たせる旨を解答する必要があります。

問 2

差押財産には第三者の権利が存在しないものを選択すべきこと、またやむを得ずこれに差押をする場合にはその旨を第三者に通知して、その権利を保護するために差押換という制度が設けられていることを解答することになります。

問 3

本事例では国税徴収法第 39 条の無償又は著しい低額の譲受人等の第二次納税義務により滞納国税の徴収が行われます。このときに贈与前に抵当権が設定されているために、この点を第二次納税義務に係る金額の算定にあたり考慮しなければなりません。

〔第二問〕

問 1

分納ができない理由が個人的な趣味によるために換価の猶予を取り消し、親族が提供している物上保証財産である土地を滞納処分により換価することになります。この換価の猶予の取消と物上保証となっている財産の換価、およびこの換価から徴収することができる国税の金額を解答することになります。

問 2

分納ができない資金不足の事情は、事業上のやむ得ない理由によるものです。このために換価の猶予を引き続き適用することが妥当です。これについて分納納付金額の減額と猶予期間延長の申請について説明します。

令和６年度　税理士試験
国税徴収法　過去問

令和元年度（第69回）

〈解答・解説〉

第69回（解答・解説編）

◆目標解答時間とボリューム・難易度

	目標解答時間	ボリューム	難易度
第一問	60 分	★★★☆☆	★★☆☆☆
第二問	60 分	★★★☆☆	★★★★☆

◆解答作成の戦略

・**第一問**：問１では交付要求と参加差押の異同を要件、手続さらに効果を別々に問われています。要件や手続については簡単にその違いが説明できます。しかし本問で一番重要なのは効果における異同点です。これを丁寧に記述してください。また問２の財産調査権限は質問と検査、捜索について徴収側の権限となるべき事項を抜出して記述してください。

・**第二問**：４件の滞納国税の存在を前提にしますが、まずは法定納期限等の日付を明確にしてください。さら同族会社の解散に関連して2種類の第二次納税義務が発生します。これがどのような状況により発生し、誰がどれだけの第二次納税義務を負担することになるのかを問題文の中から読取りながら、その関係を明確にしてから解答を始めてください。最後の譲渡担保権者の物的税責任は、適用のある滞納国税に注意して解答を考えてください。

〔第一問〕　－50点－

1　交付要求と参加差押の異同について

⑴　要件の異同

交付要求は滞納者に強制換価手続が開始された場合に、その執行機関に行われる配当請求手続である。これに対して参加差押は、配当請求という交付要求と同様の性質を持つが、本質的には先行の行政機関が行う滞納処分に対する二重差押に該当する。

このために参加差押は差押の要件を具備している必要があり、先行の滞納処分の対象となっている財産も動産及び有価証券、不動産、船舶、航空機、自動車、建設機械及び小型船舶、電話加入権に限定されている。

⑵　手続の異同

交付要求は行政機関に対する配当請求であるため、その執行機関に対して交付要求書を交付することにより行われる。

また参加差押も同様に行政機関に対して参加差押書の交付により行われる。ただし参加差押は二重差押としての意義を有するために登記が必要であり、不動産、船舶、航空機、自動車、建設機械、及び小型船舶は、参加差押の登記を関係機関に嘱託しなければならない。なお電話加入権は参加差押をした時には、その旨を第三債務者に通知することになる。

⑶　効果の異同

交付要求は先行の強制換価手続に対する配当請求であることから先行の執行機関が強制換価手続を解除した場合にはその効力を失うことになる。これに対して参加差押は先行の行政機関が滞納処分を解除したときには差押の効力が生ずることになり、この点が両者の大きな相違点である。

参加差押は先行の行政機関の差押解除により、その行政機関から差押財産の引渡し、また他の機関からの参加差押書などの関係書類の引渡しを受けることになる。

また参加差押は行政機関どうしの重複した滞納処分であることから、先行の行政機関が換価を速やかに行わない場合には換価の催告を行うことができ、これも参加差押だけに認められた効力になっている。

さらに参加差押をした税務署長は、参加差押不動産に換価の催告をしたにも関わらず換価に付されないときには滞納処分を行っている先行の行政機関等の同意を得て換価の執行をする旨の決定をすることができる。

2　徴収職員における財産調査権限について

⑴　質問検査権

徴収職員の質問及び検査並びに捜索は滞納処分について財産の調査をするために認められているものであり、犯罪捜査のためのものではない。なお、この質問及び検査並びに捜索は任意調査であるが、正当な理由なくこれらを拒否したような場合には罰則規定もある。

⑵　質問検査の対象者とその方法

徴収職員は滞納処分のため滞納者の財産を調査する必要があるときは、その必要と認められている範囲内において、次に掲げる者に質問し、又はその者の財産に関する帳簿書類(電磁的記録を含む。)を検査することができる。

①　滞納者

②　滞納者の財産を占有する第三者及びこれを占有していると認めるに足りる相当の理由がある第三者

③　滞納者に対して債権若しくは債務があり、又は滞納者から財産を取得したと認めるに足りる相当の理由がある者

④　滞納者が株主又は出資者である法人

⑶　捜索権限

徴収職員は滞納処分のために必要があるときは、滞納者の物又は住居その他の場所につき捜索することが認められている。また次のいずれかに該当するときは、第三者の物又は住居その他の場所につき捜索することもできる。

この捜索に際して必要があるときには滞納者若しくは第三者に戸若しくは金庫その他の容器類を開かせ、又は自らこれらを開くための必要な処分をすることも認められる。

①　滞納者の財産を所持する第三者がその引渡しをしないとき。

②　滞納者の親族その他の特殊関係者が滞納者の財産を所持すると認めるに足りる相当な理由がある場合において、その引渡しをしないとき。

⑷　捜索時の出入禁止

徴収職員は捜索、差押又は財産の搬出をする場合において、これらの処分の執行のため支障があると認められるときには、これらの処分をする間は、次に掲げる者を除き、その場所に出入りすることを禁止することができる。

①　滞納者

②　差押に係る財産を保管する第三者及び捜索を受けた第三者

③　上記①、②に掲げる者の同居の親族

④　滞納者の国税に関する申告、申請その他の事項につき滞納者を代理する権限を有する者

⑸　官公署への協力要請

徴収職員は、滞納処分に関する調査について必要があるときは、官公署又は政府機関に、その調査に関して参考となるべき帳簿書類その他の物件の閲覧又は提供その他の協力を求めることができる。

〔第二問〕　－50点－

1．事例の状況

本問では株式会社甲が、平成28年９月期分からの消費税、及び法人税の４件を平成31年４月20日現在も滞納しており、これらの納付のないまま株式会社甲を解散させている。これにより清算人等の第二次納税義務、また無償又は著しい低額の譲渡人等の第二次納税義務が代表取締役並びにその特殊関係者などに発生する。

さらに一部債権が平成29年９月期の法人税の法定納期限等後に譲渡担保となっており、譲渡担保権者の物的納税責任によりこの滞納法人税を徴収することも可能である。

2．清算人等の第二次納税義務

⑴　第二次納税義務の成立

本事例では下記のいずれにも該当するために清算人等の第二次納税義務が発生する。

①　株式会社甲が解散し、株式会社甲に課されるべき、又は納付すべき国税を納付しないで残余財産の分配又は引渡しをしている。

②　株式会社甲に対して滞納処分を執行しても、すでに残余財産の分配又は引渡しが完了しており、滞納となっている国税を徴収することはできない状態にある。

⑵　第二次納税義務者

清算人等の第二次納税義務を負う者は清算人及び残余財産の分配、又はこの財産の引渡を受けた者（無限責任社員を除く。）である。従って本事例では下記のＡ、Ｃ及びＢがその責任を負うことになる。

①　残余財産の分配又は引渡しをした清算人である代表取締役Ａ、及び株主Ｃが第二次納税義務者となる。この時にＣは清算人に就任するが清算事務に関与していないが清算人であることから第二次納税義務者に該当することになる。

②　残余財産の分配又は引渡しを受けた者に該当する株主Ｂ

⑶　第二次納税義務の限度

清算人等の第二次納税義務の範囲は下記の通りである。

①　清算人Ａ及びＣ

清算人は残余財産を受取っていなくても残余財産の分配又は引渡しをした金額を限度に第二次納税義務を負うことになる。本事例の場合には定期預金の解約金 500 万円、借入金返済に伴う受領額400万円、さらにＣに対する債務免除額100万円の合計1,000万円がその限度になる。

この時に清算人Ａ及びＣは共同で同額 1,000 万円の責任を負う。また清算人Ｃは実質的に清算事務に関与していないが1,000万円の責務を負うことになる。

②　残余財産の分配を受けたＢ

残余財産の分配を受けた株主Ｂはその分配を受けた定期預金の解約金 100 万円と借入金返済に伴う受領額である200万円の合計300万円が第二次納税義務の限度額になる。

3．無償又は著しい低額の譲受人等の第二次納税義務

⑴　第二次納税義務の成立

本事例では下記のいずれにも該当するために無償又は著しい低額の譲受人等の第二次納税義務が発生する。

①　滞納者である株式会社甲がその財産につき無償又は著しい低額による金額によりその財産を譲渡し、または債務の免除をその他第三者に利益を与える処分（国及び公共法人に対するものを除く。）を行っている。本事例では 債務弁済に伴う建設機械の低額による譲渡、並びに親族に対する 300 万円の贈与がこれに該当することになる。

②　この無償又は著しい低額の譲受人の第二次納税義務は、その無償譲渡等が滞納国税の法定納期限の１年前の日以後に行われている場合であり、本事例ではその無償譲渡等が４件の滞納法人税等の法定納期限の１年前の日以後に行われている。

③　滞納者である株式会社甲に滞納処分を執行してもなおその徴収すべき国税に不足すると認められる。

④　上記③の不足すると認められる事由が無償低額による譲渡等に基因していると認められる。

⑵　第二次納税義務者

この無償又は著しい低額の譲受人等の第二次納税義務は、その処分により権利を取得し、または義務を免れた者である。したがって本事例では下記の者が具体的な第二次納税義務者になる。

①　建設機械３台を債権の返済に伴い著しい低額で取得した株式会社乙

②　株式会社甲の代表取締役Ａからその預金口座に振り込みを受けた長女Ｅ

⑶　第二次納税義務の限度

無償又は著しい低額の譲受人等の第二次納税義務の範囲は、その処分時に滞納者の親族その他の特殊関係者である場合はその処分により受けた利益の額とされ、親族その他の特殊関係者以外の場合には処分より受けた利益が現に存する額とされている。本事例ではその処分を受けた者が親族その他の特殊関係者であるためにその限度は次のとおりになる。

①　建設機械３台を債務弁済に伴い著しい低額で取得した株式会社乙は、その利益に相当する金額である 900 万円（＝ 1,500 万円－200 万円－400 万円）を限度に第二次納税義務を負うことになる。

②　株式会社甲の代表取締役Ａの長女Ｅは預金口座に振込まれた 300 万円が全額第二次納税義務の限度額になる。

4．譲渡担保権者の物的納税責任

下記のいずれの要件にも該当するために株式会社甲の平成 29 年９月期の確定申告法人税 300 万円を譲渡担保権者である株式会社戊から徴収することができる。

⑴　株式会社甲が譲渡した財産である売掛金が、その譲渡により担保の目的になっていると認められる。

⑵　譲渡担保の設定が平成30年10月28日に登記されており、これは平成29年９月期の法人税の法定納期限等である平成29年11月30日後に行われている。

⑶　株式会社甲はその所有する財産がなく、滞納処分を執行してもなお徴収すべき額に不足すると認められること。

解　説

〔第一問〕

極めて基本的な問題であり、暗記している理論がそのまま記述できる内容です。ただし基本的な出題であるがために、いずれの項目も詳細かつ正確な記述が必要です。多くの受験生はこの第１問でかなり高得点を得ることができるものと思われます。模範解答を参考にして漏れている事項が無いかを点検しましょう。

1　交付要求と参加差押の異同

これら両者は独立した理論として双方を詳細に暗記しているはずです。本問ではこれを要件、手続さらに効果の異同点として解答することになるので、それぞれを比較してその違いを端的に記述する必要があります。特に要件における差押の要件の具備や効果における換価催告権等が重要な論点です。これらの記述について各自確認しましょう。

模範解答では効果の異同点についてはあまり詳細を説明していませんが、参加差押は滞納処分を一定時点まで遡り引継ぐことは記述されていれば良いです。また令和元年の改正点である参加差押の換価執行の決定についても記述の必要があります。

2　財産調査権限

滞納者の財産の調査には、質問及び検査と捜索があります。出題では財産調査権限とあるので、任意の質問及び検査だけではなく強制的な効力を持つ捜索についても記述が必要です。

質問及び検査については模範解答に示す程度の内容で十分です。また捜索に関しても解答程度の内容が記述されていれば良いものと思われます。もちろんこれに捜索の時間制限、身分証明書の呈示、捜索調書の作成等について触れられていれば多少の加点もあると考えられます。

〔第二問〕

例年の出題となっている第二次納税義務を中心にした問題です。ただし令和元年度の出題はその事例がかなり複雑に構成されています。

さらに問題を発展させて、再調査により債権に係る譲渡担保が存在することから譲渡担保権者の物的納税責任にまでその範囲は及ぶという内容になっています。

1．第二次納税義務関連

解答では第二次納税義務の規定が清算人等の規定なのか無償低額の規定なのかを取引や手続ごとに整理してから解答を組み立てることが重要です。発生している事象を列挙すれば下記のようになります。

(1) 株式会社甲の定期預金 500 万円の解約とその分配

(2) 債務弁済に伴い生じる建設機械の低額譲渡による利益額 900 万円

(3) 上記の建設機械の譲渡代金 400 万円の受取りとその分配

(4) 代表取締役Ａの弟Ｃに対する債務免除 100 万円

(5) 代表取締役Ａの長女Ｅへの売掛金回収額 300 万円の贈与

上記の(1)、(3)、及び(4)が清算人等の第二次納税義務になり、(2)と(5)が無償又は著しい低額の譲受人等の第二次納税義務に該当することになります。これらをそれぞれ区別して成立要件、義務を負う者、その限度として解答することになります。

2．譲渡担保権者の物的納税責任

動産等の実態のある財産ではなく、売掛金という債権を譲渡担保にしている「集合債権譲渡担保」のケースであるが問題の情報から譲渡担保であることを判断して物的納税責任が生ずるかどうかを判断しましょう。

この物的納税責任により徴収が可能な国税は今回の４件の国税のうち平成 29 年９月期分の確定申告法人税だけである点も解答には重要であり、単に譲渡担保の物的納税責任の４項目を記述するだけではなく、この法人税だけがその対象になることの記述も重要でしょう。

令和６年度　税理士試験
国税徴収法　過去問

令和２年度(第70回)

第70回(解答・解説編)

〈解答・解説〉

◆目標解答時間とボリューム・難易度

	目標解答時間	ボリューム	難易度
第一問	60 分	★★★☆☆	★★☆☆☆
第二問	60 分	★★★☆☆	★★★★☆

◆解答作成の戦略

・**第一問**：問１の次順位買受申込制度の暗記はできていると思われます。しかし本問では趣旨(理由)を説明しなければなりません。制度そのものをよく考えて、解答を記述してください。問２は第三者の権利保護規定の代表的な問題です。いずれの事項も正確な記述が要求され、完璧な解答を作成する必要があります。

・**第二問**：同一納税者に換価の猶予の申請、またその取消さらに新たな換価の猶予の申請の適用を検討させる問題です。問１の適用申請については何ら問題はありませんので容易に解答が可能です。しかし問２の分割納付ができないことが換価猶予の取消しになるか、あるいは新たな申告所得税について換価の猶予の適用ができるかを判断しなければなりません。問２は適用要件等を正確に理解している必要があますが、これを考慮して解答をしてください。

〔第一問〕　－50点－

問１

⑴　次順位買受申込者制度の趣旨

公売において買受人が買受代金を納付しないなどの事情により、再公売を実施する必要が生じた場合は、再度公売公告から売却決定までの手続をやり直さなければならない。本来公売は滞納者の財産を売却するという厳格な処分であるために慎重な取り扱いを必要とし、このような手続きを再度やり直すことは、徴収職員に大きな負担をかけることになる。

また、再公売の場合には当初の公売より入札参加者が減少することや、売却価額も当初の公売より低くなるという事情もある。そこで公売事務の手続の合理化、売却価額の維持安定のために、最高価申込者の決定直後に、一定の要件を満たすものを補欠として次順位買受申込者として定めることとしている。

⑵　次順位買受申込者を本人申込とする理由

最高価申込者の納付した公売保証金は買受代金の一部として充当されることとなっている。同様に次順位買受申込者の納付した公売保証金も、最高価申込者がその買受代金の納付がないなどの事情によりその売却決定が取り消されれば、買受代金に充当される。つまり次順位買受申込者の買受代金は最高価申込者が買受代金を納付して売却決定が行われるまでは返還されずに留保されることになる。この留保について同意するかどうかを本人申込により確認することになる。

⑶　次順位買受申込者の要件と２名以上の申込があった場合

徴収職員は次のすべての要件に該当するときは、最高価申込者の決定後直ちに、その入札者を次順位買受申込者として定めなければならない。

①　入札の方法による不動産等の公売であること

②　最高入札価額に次ぐ高い価額（見積価額以上で、かつ最高入札価額から公売保証金の額を控除した金額以上であるものに限る。）による入札者から、次順位による買受の申込があること

③　公売保証金を提供させる場合において、所定の公売保証金を提供していること

④　買受人の制限や公売実施の適正化のための措置による規定により買受人としてはならない者でないこと

⑤　公売参加について一定の資格その他の要件を必要とする場合に、これらの資格を有する者であること

上記の場合において、最高入札価額に次ぐ高い価額による入札者が２名以上あり、これらの者から次順位買受申込がある場合は、くじにより当選した者を次順位買受申込者として決定する。

問２

１．財産の差押換えの請求について

⑴　第三者からの差押換えの請求

次のすべての要件に該当するときは、その第三者は税務署長に対し、その財産の公売公告の日（随意契約による売却をする場合には、その売却の日）までに、その差押換を請求することができる。

①　質権、抵当権、先取特権（不動産保存の先取特権等又は不動産賃貸の先取特権等に限る。）、留置権、賃借権、配偶者居住権その他第三者の権利（上記先取特権以外の先取特権を除く。）の目的となっている財産が差押えられたこと。

②　滞納者が他に換価の容易な財産を有していること

③　その財産が他の第三者の権利の目的となっていないものであること

④　その財産により、その滞納者の国税の全額を徴収することができること

⑵　相続人からの差押換えの請求

被相続人の国税につき相続人の固有財産が差押えられた場合には、相続人は税務署長に対して、次のすべての要件に該当することを理由として、その差押換えを請求することができる。

①　相続人が他に換価の容易な相続財産を有していないこと

②　①の財産が第三者の権利の目的になっていないものであること

③　その財産により、その滞納者の国税の全額を徴収することができること

２．交付要求の解除の請求について

強制換価手続により配当を受けることができる債権者は、交付要求があったときは税務署長に対し次のすべての要件に該当することを理由として、その交付要求を解除すべきことを請求することができる。

⑴　その交付要求により、自己の債権の全部又は一部の弁済を受けることができないこと

⑵　滞納者が他に換価の容易な財産で、第三者の権利の目的になっていないものを有しており、かつその財産によりその交付要求に係る国税の全額を徴収することができること

〔第二問〕　－50点－

問１（20点）

１．適用要件

Ｙ税務署長は、納税者Ａが次のすべてに該当すると認められるため、Ａが納付すべき平成30年分の申告所得税の修正申告税額について、国税徴収法第151条の２の「申請による換価の猶予」を適用し、その滞納処分による財産の換価を猶予し、分割納付をさせることができる。

⑴　納税者Ａは滞納国税150万円の内50万円をすでに納付しており、未納額100万円についても分割納付を行うという納税に関する誠実な意思を有すると認められる。

⑵　納税者Ａは修正申告分の未納分の所得税を一時に納付することによりその事業の継続を困難にするおそれがあると認められる。

⑶　修正申告書の提出日令和元年11月30日の同日に換価の猶予の申請を行うとしており、これは納期限から６ヵ月以内の期限内申請に該当する。

⑷　現状では納税者Ａは納税の猶予、又は職権による換価の猶予の適用を受けていない。

⑸　換価の猶予の適用により担保の徴取が必要であるが、猶予申請税額が100万円以下であるために担保の徴取は必要ない。

⑹　この申請時において申請以外の国税の滞納は存在しない。

２．申請手続

納税者Ａはこの換価の猶予の申請をしようとするときは、下記に掲げる事項を記載した申請書に必要書類を添付し、これをＹ税務署長に提出しなければならない。

⑴　記載事項

①　申告所得税を一時に納付することにより、その事業の継続が困難となる事情の詳細

②　納付が困難である金額が申告所得税(修正申告分)100万円であること

③　猶予を受けようとする期間

④　猶予税額の分割納付を希望するので毎月20万円を５ヵ月間で納付する旨

⑵　添付書類

①　財産目録

②　担保の提供に関する書類…本事例では不要である

③　その他一定の書類

問２

１．平成30年度分の修正申告分の所得税

納税者ＡはＹ税務署長から平成30年度分の修正申告分の所得税100万円について、毎月末20万円を令和２年12月末から和２年４月30日までに毎月末全５回で分割納付する換価の猶予の適用を受けていた。これにより納税者Ａは、猶予期間内の各月末において、この金額20万円を分割して納付しなければならない。

しかし、令和２年３月５日に得意先Ｂの倒産という理由により２月末の第３回分までの60万円の納付は完了しているが、第４回分と第５回分の各20万円の計40万円の納付が困難な状況になっている。

換価の猶予は分割納付の納期限ごとにその猶予金額を納付できない場合には、原則的にその適用は取消されるために、今回の納税者Ａの換価の猶予は取り消されることになる。

２．分割納付額の変更と換価の猶予期間の延長

しかしながら、分割納付が不履行となった場合であっても、それが取引先Ｂの倒産というやむを得ない理由であると認められるために、換価の猶予を取り消すことなく、Ｙ税務署長の自らの職権又は納税者Ａからの申請により引き続きその猶予を継続することができる。

この場合の猶予期間はすでに猶予した期間とあわせて２年をこえることができない。本事例の場合には平成30年度分の申告所得税の未納額は40万円であり、当初の納税計画である毎月末20万円の納付を10万円に減額しても、今後４ヶ月での納付が可能であり、その猶予期間は２年を超えることはない。

３．令和元年分申告所得税に関する換価の猶予の適用

納税者Ａは令和元年度分の申告所得税の確定申告分30万円について、令和２年３月13日に確定申告書の提出と同時に、この所得税が一時納付困難として換価の猶予の申請をしている。

しかし、このときすでに滞納者Ａは平成30年度分の修正申告所得税につき換価の猶予の適用を受けており、一部その分割納付が履行できていない状況にある。

換価の猶予の適用を受ける場合には申請に係る国税以外に滞納国税が存在しないことが要件とされるが、分割納付が履行されていない国税が換価の猶予を受けた所得税である場合には、申請による換価の猶予の適用を受けることができる。

Ｙ税務署長は今回の令和元年分の申告所得税に関する換価の猶予の申請については添付書類を含めて不備のない申請書が提出され一時納付できないことにつき得意先の倒産というやむを得ない事情が発生しており、また申請に係る令和元年分の所得税の納税について納税者Ａが誠実な意思を有していることなど総合的な状況を判断して換価の猶予を適用すべきである。

４．分割納付に関して

Ｙ税務署長が令和元年分の申告所得税30万円の換価の猶予を認めた場合、納税者Ａが平成30年分の申告所得税の未納分40万円を毎月末10万円ずつ４か月で分割納付した後、引き続き令和元年分の申告所得税30万円についても、滞納者Ａの財産の状況その他の事情からみて、その猶予する期間内の各月に納付させる金額を、それぞれの月において合理的かつ妥当なものとなるようにして納付計画を検討することになる。

解　説

〔第一問〕

問１

第68回（平成30年度）の見積価額に関する趣旨や役割など制度の背景を問う出題がされましたが、本問もこれと同様に次順位買受申込者の制度そのものではなく趣旨等の制度の本質を問う内容です。

学習上ではこの制度の内容は公売において予め補欠となるべき者を決めておき、再公売をしないためと漠然と理解していても、これを正確に解答することには苦慮する内容です。

特に(2)の本人の申込制の理由については、どのようなことを解答すべきか受験生には難解な内容です。もちろんこのような問題は何らかの解答を僅かばかりしておきましょう。

また、(3)の次順位買受申込者となる者の要件は第104条の規定以外に、通達に説明されている内容を若干項目だけ解答としていますが、ここまでの記述は必要ないと考えましょう。

問２

出題は第62回（平成24年度）の第１問の問１とまったく同じ内容であり、第三者の権利保護規定に関する基本的な問題です。

差押換えに関しては第三者の差押換えの請求だけではなく、相続人からの差押換えの請求にも言及しなければなりません。なお令和２年度の国税徴収法の改正により第三者の権利に「配偶居住権」が追加されています。この点についても正確な記述ができているかどうかがポイントになります。

交付要求の解除請求も記述すべき内容は多くありません。このために答案用紙にかなり余白が生ずるが正しい記述ができていれば、内容が少なくても得点上の心配ありません。

〔第二問〕

本問は、国税徴収法における申請による換価の猶予とその分割納付不履行の場合の猶予期間の延長、及び分割納付額の変更について、さらに分割納付不履行が発生している場合の換価の猶予の再申請に関する適用の可否に関する出題です。その内容は実務色が強く、出題者は税務署等の現場において管理、徴収部署などに在籍し多くの滞納案件に携わってきた経験による出題であることが容易に想像できます。

このような問題では理論集にある換価の猶予の内容を規定通り記述するのではなく、Ｙ税務署長がどのような判断をして換価の猶予の適用、延長さらに新たな換価の猶予の適用をするかを総合的に判断しながら解答をすることになります。

なお問題では令和元年分の申告所得税については、令和２年２月に実際に適用されたコロナ禍による国税通則法第 11 条の災害等による期限の延長の適用はないことが明記されていますが、もちろん本問ではこれを考慮する必要ありません。

さらに設例では最後に納税者Aが自宅兼事務所である不動産 500 万円の存在が説明されています。

しかし、これも滞納が深刻化すれば直ちに滞納処分を執行できるという徴収側の思惑を示すものであり、これを勘案して緩和規定の適用を認めようという実務的な背景も推測できます。当然ながらこの不動産を担保提供させるという趣旨での出題ではありません。

問１

問題文では修正申告分の所得税の一括納付が困難であり、これに対して「Aが行うことのできる国税徴収法上の措置」とあるために、申請による換価の猶予の適用を解答することになります。

事例問題であるため理論集の内容をそのまま記述するのではなく、税目や税額また納期限など具体的な金額や日付などを考慮した解答をすべきです。

問２

問 1 の換価の猶予に係る税額が猶予期間の中途で納付困難な状況になっており、まずこれをどのように取扱うかを検討しなければなりません。原則的には分割納付が履行できない場合には換価の猶予は取り消、もしくは猶予期間が短縮されることになります。ただし分割納付ができない理由がやむを得ない事情による場合には猶予期間を延長することができます。

次に令和元年分の申告所得税は、その申告日が令和２年３月 13 日、この直前の２月末に平成 30 年度分の修正申告所得税の分割納付は行われましたが、３月５日の得意先倒産による資金不足が生じており３月末の分割納付が困難であり、不履行が発生することが予想されるために３月 13 日に申請された換価の猶予は、滞納国税の存在を理由に適用がされないと考えることもできます。ただし、すでに換価の猶予の適用されている国税については、分割納付が履行されていなくても滞納国税の存在には該当しないためにその適用は考えられます。

これにより納税者Aはやむを得ない事情が発生しておりその納付が困難な状況にありますが、今後も分割納付を積極的に行うという納税についての誠実な意思があると認められることを理由に換価の猶予の適用を受けることできます。

したがって令和元年分の申告所得税 30 万円についても今回は申請による換価の猶予の適用を受けることができます。

最終的には、Y税務署長は納税者Aに対して平成30年分の修正申告所得税の未納分40万円と令和元年分を毎月末10万円ずつ４ヶ月で分割納付させ、さらに令和元年分の申告所得税 30 万円についてはそれぞれの月において納付が可能である 10 万円を３ヶ月で分割納付させることになるのが本問の結論になります。

令和６年度　税理士試験
国税徴収法　過去問

令和３年度（第71回）

〈解答・解説〉

◆目標解答時間とボリューム・難易度

	目標解答時間	ボリューム	難易度
第一問	60 分	★★★☆☆	★★★☆☆
第二問	60 分	★★★★☆	★★★★☆

◆解答作成の戦略

・**第一問**：問１は差押の解除ができる場合という基本的な問題ですから完璧な記述が必要です。また解除手続も是非とも触れておきましょう。問２は売却決定日が異なる理由が問われているので、規定は簡単にしてその趣旨を正確に解答してください。さらに問３では売却決定が取り消される5つの事由をいくつ列挙することができるかがポイントです。

・**第二問**：問1は参加差押に係る換価執行に関する出題です。ここでもその理由が問われているので、これをできるだけ正しく記述してください。第一問の問２でも売却決定日が異なる理由が問われています。これらの出題は理論集の丸暗記だけをしている受験生を選別する目的によるものです。自分で文章を考えてできるだけ専門的な内容にすることが重要です。

問２は典型的なぐるぐる回りの事例問題ですが仮登記抵当権や担保が提供された国税などいくつか考慮しなければならない点があるので、これら一つずつ考慮して最終的な配当金額を算出してください。

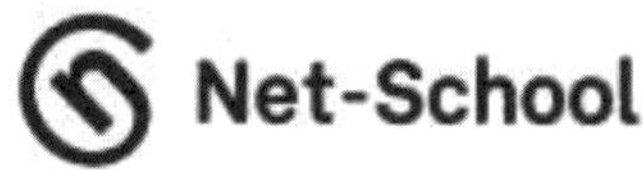

〔第一問〕

問１

1　超過差押その他の場合

徴収職員は、次のいずれかに該当するときは、差押財産の全部又は一部について、その差押を解除することができる。

⑴　差押えに係る国税の一部の納付、充当、更正の一部取消、差押財産の値上り、その他の理由により、その価額が差押えに係る国税及びこれに先立つ他の国税、地方税その他の債権の合計額を著しく超過すると認めるに至ったとき。

⑵　滞納者が他に差押えることができる適当な財産を提供した場合において、その財産を差押えたとき。

⑶　差押財産について、3回公売に付しても入札等がなかった場合において、その財産の形状、用途、法令による利用の規制その他の事情を考慮して、更に公売に付しても買受人がないと認められ、かつ、随意契約による売却の見込みがないと認められるとき。

2　納税の猶予

税務署長等は、納税の猶予をした場合において、その猶予に係る国税につき既にされている滞納処分により差押えた財産があるときは、その猶予を受けた者の申請に基づき、その差押を解除することができる。

3　換価の猶予

税務署長は、換価の猶予をする場合において、必要があると認めるときは、差押により滞納者の事業の継続又は生活の維持を困難にするおそれがある財産の差押を解除することができる。

4　保全差押又は繰上保全差押の解除

徴収職員は、保全差押又は繰上保全差押を受けた者につき、その資力その他の事情の変化により、その差押の必要がなくなったと認められることとなったときは、その差押を解除することができる。

5　不服申立の場合

再調査審理庁又は国税庁長官は、再調査請求人等が担保を提供して、不服申立ての目的となった処分に係る国税につき、既にされている滞納処分による差押を解除することを求めた場合において、相当と認めるときは、その差押えを解除することができる。

6　差押解除の手続

⑴　差押解除の通知と手続

①　差押解除の通知

差押の解除は、その旨を滞納者に通知することによって行う。ただし債権及び第三債務者等のある無体財産権等の差押の解除は、その旨を第三債務者に通知することによって行う。

② 財産ごとの解除に伴う措置

イ 動産又は有価証券、自動車、建設機械又は小型船舶

動産又は有価証券、自動車、建設機械又は小型船舶の差押の解除は、その引渡及び封印、公示書その他差押を明白にするために用いた物の除去を行う。

ロ 債権又は第三債務者等のある無体財産権等

債権又は第三債務者等のある無体財産権等の差押の解除は、滞納者へ差押解除の旨を通知する。

③ 差押登記の抹消の嘱託

税務署長は、不動産その他の差押の登記をした財産の差押を解除したときは、その登記の抹消を関係機関に嘱託しなければならない。

⑵ 財産の引渡場所

動産又は有価証券の引渡は、滞納者に対して、次の区分に応じて、それぞれの場所において行わなければならない。

ただし、差押の時に滞納者以外の第三者が占有していたものについては、滞納者に対して引渡すべき旨の第三者の申出がない限り、その第三者に引き渡さなければならない。

① 更正の取消その他国の責任とすべき理由により差押を解除する場合は、その差押時に存在した場所で引渡を行う。

② 上記以外の理由で差押を解除する場合は、差押を解除した時に存在する場所で引渡を行う。

第71回（解答・解説）

問２

⑴ 売却決定日

イ 自動車

自動車は民法上の動産ではあるが、国税徴収法では貴金属等の動産と異なりその財産的な特徴や価格を考慮して独立した財産区分により滞納処分の手続が定められている。特に換価についても自動車の売却決定は、滞納者及び利害関係人に異議申立の機会を与える趣旨により、公売期日等から起算して７日を経過した日に最高価申込者に対して行うものとされている。

ロ 不動産

不動産についても上記自動車と同様の趣旨により公売日と売却決定の日が異なる旨の規定が設けられている。

また昨今の社会的な事情を背景にして、最高価申込者が暴力団員等でないことを調査をする必要もあるため、もしこの調査を関係機関に委託したときは公売期日等から起算して 21 日を経過した日に最高価申込者に対して売却決定を行うものとされている。

⑵　売却決定の取消

1　売却決定を取消す場合

下記の場合には売却決定が取り消される。

⑴　換価財産に係る国税の完納の事実が買受人の買受代金の納付前に証明された場合

⑵　買受人が買受代金を納付期限までに納付しない場合

⑶　公売実施中、または過去２年以内に入札妨害等の事実があり、換価財産について売却決定後に最高価申込者等とする決定を取消す場合

⑷　公売不動産の最高価申込者等または自己の計算で最高価申込者等に公売不動産の入札をさせた者が暴力団員等または法人でその役員のうちに暴力団員等に該当する者があったことにより売却決定を取消す場合

⑸　不服申立てにより滞納処分続行の停止がされたため、売却決定を受けた者がその買受を取消す場合

⑹　不服申立、または訴訟の結果により売却決定を取消す場合

2　売却決定の取消

⑴　動産又は有価証券

換価をした動産又は有価証券に係る売却決定の取消は、これをもって買受代金を納付した善意の買受人に対抗することができない。

⑵　動産又は有価証券以外

換価財産が動産又は有価証券以外の場合、売却決定の取消は原則的な遡求効力を持つため、換価代金の返還、所有権移転登記の抹消などの手続をしなければならない。

〔第二問〕

問１

⑴　税務署長による換価執行の趣旨

参加差押を行った執行機関は先行の滞納処分による換価が迅速に行われない場合には換価を速やかに行う旨の換価の催告を行うことができる。

さらに滞納処分の処理促進を図り、納税者の延滞税負担の増加を抑制するなどの観点から、参加差押を行った執行機関はその財産について、滞納処分を行っている執行機関の同意を得ることを要件として、配当順位を変更することなく、換価を行う換価執行の決定をすることができる。

⑵　換価執行決定の手続等

イ　X税務署長

参加差押をしたX税務署長が、換価の執行に関する同意をしたD年金事務所長に告知することによって換価執行決定の効力が生ずることになる。

またX税務署長は換価執行を決定した場合には速やかに、その旨を滞納者甲及び参加差押をしているE市長に通知しなければならない。

ロ　D年金事務所長

D年金事務所長は換価執行決定の告知を受けた場合、差押えた不動産につき換価執行手続前にE市長とX税務署から参加差押書の交付を受けているため、これら参加差押書及びその他の書類のうち滞納処分に関して必要なものをX税務署長に引き渡さなければならない。

ハ　E市長

特段の手続等の必要はないが、参加差押の効力は継続することになる。

これは上記のD年金事務所長からX税務署長への参加差押書等の引渡によりE市長はX税務署に参加差押をしたとみなされるためである。

問２

１　事例の状況

本事例では物上保証人Aの乙土地の上で２つの抵当権に優先するE地方税が、これらに劣後するD年金事務所長が先に差押を行なったことにより劣後し、さらにこれらに遅れる滞納者甲の消費税の抵当権が設定され、この消費税もX税務署長により参加差押が行われている。

これにより国税徴収法第 26 条のぐるぐる回りの状況になっているために具体的な配当額は下記の方法で計算することになる。

２　優先権が確定している債権等の先取

本事例ではX税務署長が乙土地の換価に際して、その評価鑑定のために 30 万円の支払いをしておりこれは直接の滞納処分費に該当するために換価代金から最優先で配当されることになる。

なおD年金事務所長が乙土地の鑑定評価のための支出 30 万円は、本事例での強制換価手続の費用、若しくは直接の滞納処分費には該当しないため配当が行われることはない。

これにより換価代金の残額 1,130 万円(＝1,160 万円－30 万円)は下記の方法で配当額を計算することになる。

３　租税公課グループ及び私債権グループへの配当

⑴　グルーピング基礎額

国税及び地方税等並びに私債権につき、法定納期限等又は設定、登記、譲渡若しくは成立時期に古いものからそれぞれ順次に国税徴収法又は地方税法その他の法律の規定を適用して国税及び地方税等並びに私債権に充当すべき金額の総額をそれぞれ定める。

このときC抵当権は仮登記設定であるが通常の抵当権と同様に取扱うことになる。

第71回（解答・解説）

法定納期限等	平成30年 9月30日	E地方税	500万円
設定登記	平成30年10月31日	B抵当権	400万円
設定仮登記	平成31年 3月20日	C抵当権	200万円
法定納期限等	令和 元年 5月31日	D保険料	30万円
		計	1,130万円

⑵ 租税公課グループの総額

E市長の地方税	500万円
D年金事務所の保険料	30万円
計	530万円

⑶ 私債権グループの総額

設定登記	平成30年10月31日	B抵当権	400万円
設定仮登記	平成31年 3月20日	C抵当権	200万円
		計	600万円

4 個々の租税公課への配当

上記３で計算した租税公課に充てるべき配当総額530万円については、国税優先の原則若しくは差押先着手による国税の優先等の規定又は地方税法その他の法律のこれらに相当する規定により、順次国税及び地方税等に充てるものとする。

このときD年金保険料は、乙土地に優先して差押を行なっているが地方自治法の定めにより租税に劣後するために配当を受けることはできない。

担保を徴した消費税	340万円
E市長による地方税	190万円
D 滞 納 保 険 料	0万円
計	530万円

5 個々の担保債付私債権への配当

上記３で計算した私債権に充てるべき配当総額 600 万円は抵当権の設定されている順序に従い配当されることになる。

このときCは抵当権設定が仮登記であるが、通常の抵当権と同様の取扱いにより配当が行われる。

また配当にあたりX税務署長への債権現在額申立書の提出をしていないが、これについてはX税務署長が登記簿等による調査によりその設定が確認されているものと考えられるために下記の配当額になる。

設定登記	平成30年10月31日	B抵当権	400万円
設定仮登記	平成31年 3月20日	C抵当権	200万円
		計	600万円

解　説

〔第一問〕

問１

滞納処分の基本的な手続である「差押解除ができる場合」に関する出題です。問題では第 79 条だけを取り上げていますが、出題の趣旨や解答用紙のスペースが 35 行あったことを考慮すれば、第 79 条以外の差押解除ができる場合も解答する必要があります。

また差押解除の手続については問題での指示はありませんが解答の必要はあります。ただし正確記述ではなく、ある程度の内容は説明できていれば加点されることになります。

問２

換価手続の中では一番重要な規定である売却決定に関する出題です。特に問題では財産を自動車と不動産に区別しています。これはおそらく 2021 年度の暴力団等の関係での法律改正を意識したものと想像され、これにより自動車は 7 日を経過した日、また不動産は 21 日を経過した日を模範解答としています。本試験では、これを 21 行でまとめることになっていました。

売却決定の取消は、その規定が各所に分かれて存在するために、一般の受験生には正確な規定を 23 行の解答用紙に列挙するのは少々難しいかもしれません。したがって 3～4 項目程度の規定が箇条書で説明できていれば十分であり、さらに第 112 条を若干でも記述できていればこの問は合格点になります。

〔第二問〕

問１

本問は国税徴収法第 89 条の 2 における参加差押をした税務署長による換価執行決定に関連する出題です。ここでは制度の趣旨（理由）が問われているので、滞納処分の迅速な執行がその目的であることを記述していることがポイントになります。

また⑵では国税徴収法施行令第 42 条の 2 に換価執行制度の具体的な手続等が規定されておりこれを解答することになります。このときＥ市長は対象外になるためにこれを正しく判断しなければなりません。

問２

滞納法人の換価の猶予に係る担保として代表取締役Ａの個人財産に抵当権が設定されます。これは物上保証人に係る財産であることを考慮する必要があります。またこの財産には他にも抵当権が設定されており、さらにＡは地方税や社会保険料も滞納しており、これらが滞納処分に際して法定納期限等、抵当権の設定日、また差押あるいは参加差押によりグルグル回りの状態になっているために国税徴収法第 26 条により具体的な配当額を計算することになります。

なお本問では下記の点を考慮して配当額の計算をすることになります。

（注意事項）

・２番抵当Ｃは仮登記設定による抵当権ですが、通常の抵当権と同様に取扱います。

・　Ｄ年金事務所長の乙土地の鑑定料 30 万円は強制換価手続の費用、あるいは直接の滞納処分費には該当しないため配当の対象外です。

・　消費税は参加差押後に換価執行権決定により換価手続を行っていますが、換価の猶予による抵当権の設定であり担保を徴した国税として他の租税公課に優先します。

・　仮登記設定のＣ抵当権は債権現在額申立書その提出がありません。このような場合には税務署長は自らの調査により債権額を確認することとされているために、登記簿等によりその金額を確認済みと推定して配当額の計算を行います。

・　租税公課のグルーピングにはＤ年金に 30 万円の金額が分配されますが、具体的に配当額の計算に際しては、地方自治法の国税優先の規定により公課は租税に劣後するために配当はありません。

令和６年度　税理士試験
国税徴収法　過去問

令和４年度(第72回)

〈解答・解説〉

第72回(解答・解説編)

◆目標解答時間とボリューム・難易度

	目標解答時間	ボリューム	難易度
第一問	60 分	★★★☆☆	★★★☆☆
第二問	60 分	★★★★☆	★★★☆☆

◆解答作成の戦略

・第一問：問１差押に関しては、国税徴収法第47条第１項第１号に督促を要する原則的な差押手続が規定されています。本問ではこれ以外の督促を必要としない緊急的な保全措置として国税徴収法、及び国税通則法規定される３項目に関して解答することになります。
問２国税の緩和制度の「滞納処分の停止」に関して、適用要件とその効果を記述することになります。令和４年４月施行により、滞納処分の停止の適用要件の第一番目の“無財産”に改正事項が加えられています。これにより「租税条約等の相手国等に対する共助対象国税の徴収の共助の要請による徴収をすることができる財産がないこと」という文言が追加されています。この点を明確に記述することがポイントになります。

・第二問：問１無限責任社員としてＢ、Ｃ及びＤの３名が第二次納税義務者になります。もしこの３名に誤りがあれば致命的ミスになります。特に中途退社したＤについて退社後に滞納が発生していますが、退社後２年以内の告知により第二次納税義務が生ずることがポイントになります。
問２は清算人等の第二次納税義務と無償低額の第二次納税義務の両者が関連していることに注意しなければなりません。このとき清算人Ｆは残余財産の分配手続を執行し、自らも株主として残余財産の分配を受けていますが、このようなときには分配した方の金額500万円(Ｈの債務免除100万円は含まない)がＦの第二次納税義務の限度額になります。
問３は自らが全額出資して設立した法人の債務保証を原因として求償権を取得し、これを後に放棄しているので債務の免除等を理由に、Ｊ株式会社に無償又は著しい低額による譲受人等の第二次納税義務が発生します。解答の記述には日付や金額なども含めることが理想です。

〔第一問〕

問１

下記に掲げる場合には、徴収職員はその国税につき、督促を要することなく、その者の財産を差し押えることになる。

１　繰上請求に係る国税

納付すべき税額の確定した国税で、その納期限までに完納されないと認められるものがあるときに、納税者に強制換価手続が開始されたとき（仮登記担保の実行通知がされたときを含む。）、納税者が死亡した場合において、その相続人が限定承認をしたとき、法人である納税者が解散したとき、その納める義務が信託財産責任負担債務である国税に係る信託が終了したとき（信託の併合によって終了したときを除く。）、納税者が納税管理人を定めないで、国内に住所及び居所を有しないこととなるとき、あるいは納税者が偽りその他不正の行為により国税を免れ、若しくは免れようとし、若しくは国税の還付を受け、若しくは受けようとしたと認められるとき、又は納税者が国税の滞納処分を免れ、若しくは免れようとしたと認められる場合には、税務署長はその納期限を繰り上げ、その納付を請求することができる。

さらにその請求に係る期限までにその国税が完納されないときは、徴収職員は、滞納者の国税につき督促を要しないで、その財産を差し押えなければならない。

２　繰上保全差押に係る国税

納税者が法定申告期限前に、強制換価手続が開始されたとき（仮登記担保の実行通知がされたときを含む。）、納税者が死亡した場合において、その相続人が限定承認をしたとき、法人である納税者が解散したとき、その納める義務が信託財産責任負担債務である国税に係る信託が終了したとき（信託の併合によって終了したときを除く。）、納税者が納税管理人を定めないで、国内に住所及び居所を有しないこととなるとき、あるいは納税者が偽りその他不正の行為により国税を免れ、若しくは免れようとし、若しくは国税の還付を受け、若しくは受けようとしたと認められるとき、又は納税者が国税の滞納処分を免れ、若しくは免れようとしたと認められる場合には、税務署長は、その確定すると認められる国税の金額のうち、その徴収を確保するため、あらかじめ滞納処分を執行することを要する金額を繰上保全差金額として決定し、その金額を限度として、その者の財産を直ちに差押えることができる。

３　保全差押に係る国税

納税義務があると認められる者が不正に国税を免れ、又は国税の還付を受けたことの嫌疑に基づき、国税通則法の規定による差押、記録命令付差押若しくは領置又は刑事訴訟法の規定による押収、領置若しくは逮捕を受けた場合において、その処分に係る国税の納付すべき額の確定後においては、その国税の徴収を確保することができなと認められるときは、税務署長は、その国税の納付すべき額の確定前に保全すべき金額を保全差押金額として決定し、その金額を限度として、その者の財産を直ちに差押えることができる。

問２

1　滞納処分停止の要件

税務署長は、滞納者につき次のいずれかに該当する事実があると認めるときは、滞納処分の執行を停止することができる。

⑴　滞納処分の執行及び租税条約等の相手国等に対する共助対象国税の徴収の共助の要請による徴収（以下「滞納処分の執行等」）をすることができる財産がないとき

⑵　滞納処分の執行等をすることによってその生活を著しく窮迫させるおそれがあるとき

⑶　その所在及び滞納処分の執行等をすることができる財産がともに不明であるとき

2　滞納処分の効力

⑴　滞納処分の禁止

税務署長は滞納処分の停止をしたときは、その停止期間内はその停止に係る国税につき新たな差押えをすることができない。

また上記１⑵の生活を著しく窮迫させるおそれがあることを理由に、滞納処分の執行を停止した場合において、その停止に係る国税について差押えた財産があるときは、その差押を解除しなければならない。

⑵　納税義務の消滅

①　３年間継続の場合

滞納処分の執行を停止した国税を納付する義務は、その執行の停止が３年間継続したときは消滅する。

②　即時消滅の場合

上記1⑴の滞納処分の執行等をすることがきる財産がないことを理由に滞納処分の執行を停止した場合において、その国税が限定承認に係るものであるとき、その他その国税を徴収することができないことが明らかであるときは、税務署長は上記①に係わらず、その国税を納付する義務を直ちに消滅させることができる。

⑶　時効の進行

滞納処分の執行を停止した場合は、その停止期間内においても、その停止に係る国税の徴収権の消滅時効は進行する。

⑷　延滞税の免除

滞納処分の執行の停止をした場合には、その停止をした国税に係る延滞税のうち、その停止をした期間に対応する部分の金額相当額は免除される。

〔第二問〕

問１

1　適用される第二次納税義務

当該事例における滞納者のＡ社は社員を税理士に限定した、会社法上の合名会社に準ずる特別法人である。このことから滞納国税の徴収には、国税徴収法第 33 条による「合名会社等の社員の第二次納税義務」を適用することができる。これにより無限責任社員としてＢ，Ｃ及びＤに滞納国税の全額の連帯納付義務が発生する。

2　徴収方途

税理士法人であるＡ社は合名会社に準ずる特別法人であり、令和元年５月期消費税及び地方消費税の確定申告分 1,000,000 円を滞納しており、すでに活動を停止しその事業再開の目途もない状態である。

このような場合にはＡ社の無限責任社員が第二次納税義務として、Ａ社の滞納国税を納付する義務を負うことになる。当該事例では社員Ｂ、Ｃ及びＤにこの第二次納税義務が発生することになる。

3　徴収範囲

(1)　設立時からの社員Ｂ

設立時からの社員であるＢは、Ａ社の令和元年５月期に発生した消費税及び地方消費税の確定申告分 1,000,000 円につきその全額の納付義務を負うことになる。

(2)　途中入社した社員Ｃ

社員Ｃは令和３年４月１日に新たに社員となっており、滞納国税の法定納期限時点では社員ではない。しかしながら国税徴収法では社員となる以前に生じた滞納国税についても無限責任社員としての納付義務があるとされている。このことからＡ社の令和元年５月期に発生した滞納消費税及び地方消費税の確定申告分 1,000,000 円につきその全額の納付義務を負うことになる。

(3)　中途退社した社員Ｄ

社員Ｄは設立時には社員であったが、令３年 10 月 31 日付で退社しており、滞納国税の法定納期限時点にはすでに社員ではない。しかしながら国税徴収法では無限責任社員にも退社前に納税義務の成立した滞納国税について第二次納税義務を負うものとしている。ただしこの場合には退社後２年以内に第二次納税義務に関する告知を行う必要があり、現時点である令和４年８月にＤに対して告知を行うことにより徴収は可能である。

これにより退社した社員Ｄも令和元年５月期に発生した消費税及び地方消費税の確定申告分の金額 1,000,000 円の全額につき、その納付義務を負うことになる。

(4)　連帯納付義務

上記社員のＢ、Ｃ及びＤは個々に 1,000,000 円の第二次納税義務を負うが、これらについては連帯納付義務がある。

問２

1　適用される第二次納税義務

Ｅ社は令和２年３月期の確定申告分の法人税 3,000,000 円を滞納したままの状態で、令和４年３月 31 日に解散の決議を行い、その残余財産の分配を進めている。このような場合には国税徴収法第 34 条による「清算人等の第二次納税義務」の適用により、清算人Ｆ及び残余財産の分配等を受けたＧ、また債務免除を受けているＨには国税徴収法第 39 条の「無償又は著しい低額の譲受人等の第二次納税義務」の適用により、その滞納法人税を負担させることになる。

2　徴収方途

Ｅ社は令和２年３月期の法人税を滞納している状態で、令和４年３月 31 日に解散手続によりその残余財産の分配等を行っている。これにより現在Ｅ法人は滞納処分が執行可能な財産を有しない状態になっている。

このような場合には清算人Ｆ、及び残余財産の分配等を受けたＧには清算人等の第二次納税義務、また債務免除を受けたＨには無償又は著しい低額の譲受人等の第二次納税義務の各規定により、それぞれを第二次納税義務者として、Ｅ社の滞納法人税を納付させることができる。

3　徴収範囲

(1)　清算人Ｆ

解散の決議により清算人の選任されたＦは残余財産の分配または引渡をした財産の価額を限度に第二次納税義務を負うことになる。このため分配等をした金額が現金 2,000,000 円、解約定期預金 3,000,000 円であり総額 5,000,000 円となることから、滞納法人税 3,000,000 円全額の第二次納税義務を負うことになる。

(2)　残余財産の分配を受けたＧ

会社設立時の出資者であったＧは、Ｅ社解散により残余財産の分配として、定期預金の解約により 3,000,000 円を受取っているので、この価額を限度としてＥ社の滞納法人税 3,000,000 円の第二次納税義務を負うことになる。

(3)　債務免除を受けたＨ

債務者ＨはＥ社の解散に伴い、Ｅ社の滞納法人税の法定納期限である令和２年５月 31 日後に、その債務額 1,000,000 円の債務免除を受けており、国税徴収法では滞納国税の法定納期限の１年前の日以後に無償又は著しい低額の譲渡等があれば第二次納税義務により徴収が行われる。

このときＨはＦの友人でありＥ社の特殊関係者ではないために、Ｅ社の滞納法人税の金額である 3,000,000 円のうちＥが現に存する 1,000,000 円についてのみ第二次納税義務を負うことになる。

問3

1　適用される第二次納税義務

居住者Ｉは自らが出資するＪ株式会社の債務保証を原因とする担保処分により、その債務を弁済し、これにより取得した求償権を後にＪ株式会社の金融支援を理由に放棄している。この求償権の放棄は国税徴収法第39条の「無償又は著しい低額の譲受人等の第二次納税義務」に該当することになり、Ｊ株式会社は居住者Ｉの滞納となっている所得税について第二次納税義務を負うことになる。

2　徴収方途

居住者ＩはＪ株式会社の債務保証を原因として、その担保財産である土地を令和２年３月31日に売却している。居住者Ｉは、これにより令和２年に所得税15,000,000円の納税義務が発生したが、これが滞納となっている状況である。その後、居住者Ｉはこの債務保証によりＪ株式会社に対して取得した求償権を令和３年10月31日に事業再生による金銭支援を理由に放棄している。

国税徴収法第39条によれば法定納期限の１年前の日以後に無償又は著しい低額による譲渡等を行い、これを原因として滞納者に滞納処分を執行すべき財産を有しない状態になっている場合には、その無償譲受等を受けた者に、無償又は著しい低額の譲受人等の第二次納税義務を負わせることができるとされている。

したがって当該事例では、居住者Ｉの滞納所得税の法定納期限である令和３年３月15日の１年前の日以後である令和３年10月31日に、Ｊ株式会社に対する求償権の放棄をしているために、Ｊ株式会社を第二納税義務者として居住者Ｉの滞納所得税を負担させることになる。

3　徴収範囲

Ｊ株式会社は求償権の放棄を受けたことを理由に第二次納税義務者となり、Ｊ株式会社は居住者Ｉが全額出資して設立した法人であるために特殊関係者に該当することになる。このためにＪ株式会社は居住者Ｉの滞納所得税15,000,000円のうち、その債務免除を受けた時点での評価金額10,000,000円を限度にして第二次納税義務を負うことになる。

解　説

〔第一問〕

問１

差押に関する基本的な出題であり、解答すべき項目は繰上請求、繰上保全差押さらに保全差押の３項目です。国税徴収法の第 47 条では基本的差押の規定がありますが、さらに国税徴収法では保全差押、国税通則法では繰上請求と繰上保全差押が督促を必要としない差押として規定されています。したがってこれらの３項目の内容について簡素かつ正確な記述しなければなりません。。

問２

滞納処分の停止は令和４年度の出題予想の最右翼であり、多くの受験生が完璧な理論暗記をして受験に臨んだものと想像されます。

滞納処分の停止の出題は平成 27 年以来７年ぶりですが、令和４年４月に改正事項として滞納処分の要件である“無財産”に「租税条約等の相手国等に対する共助対象国税の徴収の共助の要請による徴収」という規定が加わっており、この記述の有無により得点に差が出るものと考えられます。

解答では要件と効果についての説明とあるため“滞納処分停止の取消”については記述の必要はありません。

〔第二問〕

３項目の事例問題ですが、いずれも極めて基本的な内容であり、それぞれの第二次納税義務は容易に判断ができるはずです。問題では適用方途と徴収できる範囲としているので、適用方途には成立要件と具体的な第二次納税義務者を徴収できる範囲にはその限度額を記述することになります。出題者は第二次納税義務の成立要件よりも、誰にどれほどの限度額が発生するかを題意としていると思われます。したがって、この点を考慮して解答の記述をする必要があります。

また解答用紙の行数が各設問により異なるために、解答の分量にも考慮しなければなりません。

問１

税理士法人は合名会社の類する法人であることから、滞納が発生していれば合名会社等の無限責任社員の第二次納税義務が発生することになります。

本問ではこの無限責任社員につき中途入社した者、あるいは中途退社した者につき第二次納税義務発生の判断をさせることを題意としています。結果的には３名いずれの社員も第二次納税義務者となり、これを明確に記述する必要があります。

問２

法人の解散による残余財産の分配に関連して、清算人等の第二次納税義務と無償又は著しい低額の譲受人等の第二次納税義務を解答します。このとき清算人等の第二次納税義務では清算人と残余財産の分配等を受けた者の第二次納税義務の範囲に注意する必要があります。

また友人Ｈは清算人等の第二次納税義務ではなく無償又は著しい低額の譲受人等の第二次納税義務としてＦとＧとは区別をして解答することになります。

問３

問題文の前半では、いずれの第二次納税着義務が発生するかは不明です。しかし後半において求償権の放棄を行っており、これにより無償または著しい低額の譲受人等の第二次納税義務が発生していることが判断できます。答案には求償権を放棄した日付や滞納所得税の法定納期限の日付、あるいは滞納国税と求償権の評価額の金額比較なども明確に記載する必要があります。

令和６年度　税理士試験
国税徴収法　過去問

令和５年度(第73回)

〈解答・解説〉

第73回(解答・解説編)

◆目標解答時間とボリューム・難易度

	目標解答時間	ボリューム	難易度
第一問	80 分	★★★★★	★★★★☆
第二問	40 分	★★☆☆☆	★★☆☆☆

◆解答作成の戦略

・**第一問**：解答に際しては平易な出題である共同的な第二次納税義務と納税の猶予の取消しから記述から行うことになります。問２の不服申立ての違法性の承継などは暗記ではなく法律の背景を記述する問題ですが簡単な記述ができたかを点検してください。問３の消滅時効は時系列図を書きながら完成猶予等を考慮してその日付を求めることになります。不服申立関係は、多くは苦手とする範囲ですから、第一問ではこれ以外の問題の記述が重要です。

・**第二問**：譲渡担保権者の物的納税責任に関する国税徴収法施行令第９条に関する出題です。問題文により譲渡担保に関する出題であることは容易に判断できます。さらにＸとＹ税務署さらにＺ県税事務所の差押えと交付要求が譲渡担保に交錯していることから、差押先着手の特例により配当金額を求めることになります。事例全体は難しいものではありません。したがって、最終的な配当金額の正解が合格答案の必須条件になると考えてください

〔第一問〕

問１

⑴

1. 共同的な事業者の第二次納税義務者

⑴ 成立要件

次のすべての要件に該当するときは、その滞納に係る国税につき第二次納税義務を負う。

① 次に掲げる者が、納税者の事業の遂行に欠くことができない重要財産を有していること

イ） 納税者が個人である場合

その者と生計を一にする配偶者その他の親族でその納税者の経営する事業から所得を受けているもの

ロ） 納税者が同族会社である場合

その判定の基礎となった株主又は社員

② 重要財産に関して生ずる所得が納税者の所得となっていること

③ 納税者が重要財産の供されている事業に係る国税を滞納していること

④ 滞納者の国税につき滞納処分を執行してもなおその徴収すべき額に不足すると認められること

⑵ 第二次納税義務の責任の限度

① 納税者が個人の場合

その者と生計を一にする配偶者その他の親族でその納税者の経営する事業から所得を受けているものが、その有する事業の遂行に欠くことができない重要財産（取得財産を含む。）を限度としてその責任を負う。

② 納税者が同族会社の場合

同族会社の判定の基礎となった株主又は社員が、その有する事業の遂行に欠くことができない重要財産（取得財産を含む。）を限度としてその責任を負う。

(2)

2. 不服申立てと国税の徴収の関係

(1) 執行不停止の原則

国税に関する法律に基づく処分に対する不服申立ては、その目的となった処分の効力、処分の執行又は手続の続行を妨げない。

ただし、その国税の徴収のため差し押えた財産の滞納処分による換価は、その財産の価額が著しく減少するおそれがあるとき、又は不服申立人から別段の申出があるときを除き、その不服申立てについての決定又は裁決があるまで、することができない。

(2) 再調査の請求の場合の執行停止等

① 徴収の猶予又は滞納処分の続行の停止

再調査審理庁又は国税庁長官は、必要があると認めるときは、再調査の請求人等の申立てにより、又は職権で、不服申立ての目的となった処分に係る国税の全部若しくは一部の徴収を猶予し、若しくは滞納処分の続行を停止し、又はこれらを命ずることができる。

② 差押の猶予又は解除

再調査審理庁又は国税庁長官は、再調査の請求人等が、担保を提供して、不服申立ての目的となった処分に係る国税につき、滞納処分による差押えをしないこと又は既にされている滞納処分による差押えを解除することを求めた場合において、相当と認めるときは、その差押えをせず、若しくは差押えを解除し、又はこれらを命ずることができる。

(3)

3. 納税の猶予の取消事由と手続

(1) 取消事由

納税の猶予を受けた者が次のいずれかに該当する場合には、税務署長等は、その猶予を取り消すことができる。なお②、④については、税務署長等がやむを得ない理由があると認めるときを除く。

① 繰上請求のいずれかに該当する事実がある場合に、その者がその猶予に係る国税を猶予期間内に完納することができないと認められるとき

② 分割納付の各納付期限ごとの納付金額をその納付期限までに納付しないとき

③ その猶予に係る国税につき提供された担保について、税務署長等がした担保の変更等の命令に応じないとき

④ 新たにその猶予の係る国税以外の国税を滞納したとき

⑤ 偽りその他不正な手段によりその猶予又はその猶予の期間の延長の申請がされ、その申請に基づきその猶予をし、又はその猶予期間の延長をしたことが判明したとき

⑥ 上記①から⑤を除き、その者の財産の状況その他の事情の変化により、猶予の継続が適当でないと認められるとき

⑵ 手　続

① 弁明の聴取

税務署長等は、上記⑴により納税の猶予を取り消す場合には、繰上請求の要件に該当する事実があるときを除き、あらかじめ、その猶予を受けた者の弁明を聞かなければならない。

ただし、その者が正当な理由がなくその弁明をしないときは、この限りではない。

② 通　知

税務署長等は、納税の猶予を取り消したときは、その旨を納税者に通知しなければならない。

問２

⑴ 趣旨（理由）及び、滞納処分の違法性の承継

滞納処分の不服申立等の期限の特例規定は、滞納処分の安定を図り、かつ換価手続により権利を取得し、又は利益を受けた者の保護を図ることを趣旨とするものである。

また、この不服申立等の期限の特例規定は、滞納処分手続における先行の督促又は差押処分の違法性がその後における差押え、換価又は配当処分に承継されために、この不服申立等の期間特例を設けることにより、実質的にその承継を断ち切ることを目的とするものでもある。

⑵ 不服申立て等の期限の特例に関する規定

滞納処分について次に掲げる処分に関して欠陥があることを理由としてする不服申立ては、災害等による期限の延長の規定又は原則に定める不服申立期間を経過したもの、及び国税に関する処分についての不服申立ての規定による審査請求を除き、それぞれに掲げる期限までのでなければ、することができない。

① 督　促

督促に関する不服申立ては、差押に係る通知を受けた日（その通知がないときは、その差押があったことを知った日）から３月を経過した日

② 不動産等についての差押

不動産等についての差押に関する不服申立ては、その公売期日等

③ 不動産等についての公売公告から売却決定の処分

不動産等についての公売公告から売却決定までの処分に関する不服申立ては、換価財産の買受代金の納付期限

④ 換価代金等の配当

換価代金の配当に関する不服申立ては、換価代金等の交付期日

問3

1. 国税の徴収権の消滅時効に及ぼす影響

(1) 督促が行われた場合 … ①の事由

国税の徴収権の時効は、督促状を発した日から起算して 10 日を経過した日までの期間は完成が猶予され、その期間を経過したときに新たにその進行を始める。

(2) 換価の猶予の申請がされた場合 … ②の事由

国税の徴収権の時効は、換価の猶予の申請により更新され、その猶予がされている期間内は、時効は進行しない。また、この猶予期間が経過した時から新たに時効が進行することになる。

(3) 交付要求が行われた場合 … ③の事由

国税の徴収権の時効は、交付要求によりその完成が猶予され、その交付要求による配当があるまで継続し、その期間を経過した時から新たにその進行を始めることになる。ただし滞納者が交付要求がされていることを知り得ない期間があれば、これを知り得た日をもって完成猶予が開始される日となる。

2. 甲の滞納国税の徴収権を行使できなくなる日

(1) 徴収権が行使できなくなる日：令和 10 年 11 月 1 日

(2) 理 由

納税者甲から換価の猶予の申請が令和 5 年 5 月 15 日に行われていることから、この日に時効の進行は更新される。その後、換価の猶予を令和 5 月 15 日から同年 10 月 31 日まで適用を受けることになるが、この期間は徴収権の時効は進行せずに不停止となる。

その後、換価の猶予の期限までに猶予国税の納付ができないために、換価の猶予期限である 10 月 31 日の翌日である令和 5 年 11 月 1 日に時効が更新され、新たに時効期間が開始される。これにより令和 5 年 11 月 1 日から 5 年後の令和 10 年 10 月 31 日までは徴収権が存在するが、翌日の 11 月 1 日にはその徴収権は消滅することになる。

〔第二問〕

問１

1. 要 件

本事例では、次のすべての要件に該当するために、納税者甲の所轄税務署Ｘでは譲渡担保財産である機械設備から納税者甲の令和４年度分の滞納消費税 200 万円を徴収することができる。

⑴ 納税者甲が令和４年度分の消費税 200 万円を滞納している

⑵ 納税者甲が借入に伴い知人乙に譲渡した機械装置が、その譲渡により担保の目的となっている（以下「譲渡担保財産」という。）

⑶ 納税者甲の財産につき滞納処分を執行してもなお徴収すべき国税に不足すると認められる

⑷ この譲渡担保の設定が甲の滞納消費税の法定納期限等である令和５年２月 28 日後の令和５年６月１日にされている

2. Ｘ税務署長が行った参加差押えの有用性

Ｘ税務署長が令和５年９月４日に譲渡担保権者乙へ告知を行っており、その後令和５年９月７日に債務不履行により譲渡担保財産の所有権が甲から乙に移転している。このような場合であってもＸ税務署長が乙に対して告知書を発した日から 10 日を経過した日までに滞納消費税が完納されない場合には、譲渡担保権者乙を第二次納税義務者とみなして、譲渡担保財産に滞納処分が執行できる。

問２

1.　差押先着手による優先の特例

譲渡担保財産である機械装置について、譲渡担保設定者である甲の滞納消費税と譲渡担保権者である乙の滞納消費税さらに乙の地方税が競合しており、譲渡担保財産が譲渡担保権者乙の滞納消費税によりＹ税務署に差押えされ、それぞれ甲の消費税と乙の地方税が参加差押えを行っている。

このような場合には国税徴収法施行令第 9 条の差押先着手による国税の優先の特例の規定によりＹ税務署における差押はなかったものとみなし、設定者である甲の滞納消費税につき、譲渡担保財産である機械装置がＸ税務署により差押えられたものとみなす。

この場合においては譲渡担保権者乙の滞納消費税と地方税は、差押をしたものとみなされるＸ税務署に対して交付要求があったものとされる。

2.　換価代金の配当金額

上記により譲渡担保財産の換価代金 500 万円は下記の通り配当されることになる。

（配当金額）

第１順位	Ｘ税務署長に係る甲の消費税	200 万円
第２順位	Ｙ税務署長に係る乙の消費税	300 万円
第３順位	Ｚ県税事務所長に係る乙の地方税	0
	計	500 万円

第73回（解答・解説）

解　説

〔第一問〕

問１

⑴　**共同的な事業者の第二次納税義務者**

事業遂行上の重要財産が納税者の親族、または納税者の出資した同族会社に保有されていることがあります。このような場合には納税者の滞納国税について、その財産に滞納処分をすることができません。そこで、国税徴収法第 37 条において「共同的な事業者の第二次納税義務」の規定を設けて、その徴収を可能としています。

解答にあたっては、この共同的な事業者の第二次納税義務の成立要件として、事業遂行に欠くことができない重要財産を個人、あるいは同族会社の誰が保有するかを明確に記述する必要があります。また責任範囲については、当然ながらこの事業の遂行に欠くことができない重要財産を限度にすることになります。

⑵　**不服申立てと国税の徴収の関係**

国税に関する不服申立てが行われ、その処分の執行を停止すると、いわゆる行政処分の執行に支障が生ずることになります。また、逆に執行の停止を認めなければ、不服申立人の権利の回復ができなくなってしまうことが考えられます。そこで国税通則法第 105 条において「執行不停止の原則」という規定を設けています。また、より詳細に、再調査の請求の場合の執行停止等、あるいは審査請求の場合の執行停止等についても定められています。

解答に際しては 23 行という限られたスペースしかないために、国税通則法第 105 条第 1 項の執行不停止の原則、さらに問題に指示されている再調査の請求の場合の執行停止等が簡単に記述されていればよいでしょう。

⑶　**納税の猶予の取消事由と手続**

緩和規定の代表である納税の猶予に関する出題です。しかし、その内容は 3 項目ある猶予の要件等ではなく、猶予の取消事由に関する内容です。要件等については理論暗記を進めていた受験生が多いものと思われます。しかし取消事由について、さらにその手続ということになれば解答には苦慮せざるを得ません。取消事由が全部で 6 項目ありますが、多くはこれまでの学習の中で触れている常識的な理由であるための何らかの記述はできるはずです。

なお、取消手続については納税者からの弁明の聴取を基本としていますので、この点が記述できているかどうかを点検してください。

問２

国税徴収法第 171 条では、滞納処分の一連の手続として督促から換価代金等の配当までについて不服がある場合の申立期限を規定しています。これは滞納処分の安定化や換価手続により権利の取得等を受けた者を保護するために設けられた規定です。

具体的に第 171 条では、督促、不動産等についての差押、不動産等についての公売公告から売却決定までの処分、さらに換価代金等の配当までについて個別にその申立期間を定めているので、これらが正しく記述できているかどうかが解答のポイントになります。

また本問では滞納処分の違法性の承継についても解答が要求されています。この違法性の承継とは、滞納処分手続における先行の違法性は、その後における差押え、換価又は配当処分に引継がれるということです。ただし違法性の承継は、期限の特例を設けて不服申立てをさせることにより、実質的にこれを断ち切ることができます。

残念ながら、これについて正確な解答をすることができる受験生は皆無と思われますので、記述が無くても大きな減点に繋がることはありません。

問3

国税通則法の時効に関する規定に改正があり令和2年4月1日から施行がされています。今回の出題は若干の期間は経過していますが、この改正関連の出題と考えることができます。本問はこれらを具体的な説明とともに、時効完成により徴収権が消滅する具体的な日付を求める問題です。

1. 徴収権の消滅時効に及ぼす影響

(1) 督促が行われた場合の時効完成猶予と更新

督促は時効の完成猶予の要因になります。このとき完成猶予は督促状を発した日から起算して10日を経過した日までです。本問では、この督促状の発送された日とは別に、滞納者に督促状が送達された日付が示されていますが、これは考慮する必要はありません。

(2) 換価の猶予の申請に係る時効の中断と不進行

換価の猶予の適用は税務署長の職権による場合と滞納者からの申請による場合があります。このうちの滞納者の申請による場合は、その申請により時効は更新され、さらに猶予期間内は時効の進行することはありません。さらに、その後猶予期間の満了に伴い時効が更新されます。

(3) 交付要求による時効完成猶予と更新

交付要求にも時効の完成猶予の効力があります。このとき時効の完成猶予される時期は交付要求が行われたときです。しかし本問では交付要求通知書が返戻されているために、改めて交付要求通知書が滞納者に交付された7月12日が時効の完成猶予の始期とされます。

2. 徴収権が行使できなくなる日

換価の猶予の申請により令和5年5月15日に時効が更新され、その後同年5月15日から同年10月31日までは時効は進行せず不停止となります。その後、換価の猶予の期限までに猶予国税の納付ができないために猶予期限の翌日である令和5年11月1日に時効が更新され、令和5年11月1日から5年後の令和10年10月31日までは徴収権が存在し、翌日の令和10年11月1日にはその徴収権が消滅することになります。

〔第二問〕

問１

本問では、まず譲渡担保財産の物的納税責任について一般的な要件が問われています。解答にあたっては、事例に沿って税目や日付さらに財産の種類、また譲渡担保設定者等の具体的な名称などを使いながら記述を進めた方が事例問題の解答として望ましい内容になります。

さらに本問ではもう一点、X税務署長の行った参加差押の有効性についても問われています。これは譲渡担保財産が債務不履行によりその所有権が譲渡担保設定者から譲渡担保権者に移転したとしても、告知等の手続が行われていれば譲渡担保権者を第二次納税義務者とみなして譲渡担保財産に対する滞納処分の執行が可能であるということを解答することになります。

問２

事例問題として３つの租税の配当金額が問われています。本問では譲渡担保財産に対して差押や参加差押えが競合しています。このような場合には国税徴収法施行令第９条において差押先着手、交付要求先着手の特例に関する規定が設けられています。

したがって、この特例により、まず第１順位は譲渡担保設定者甲の消費税の参加差押えをしていますが差押えをしたものとみなされます。さらに第２順位は譲渡担保権者乙の消費税が差押えをしていますが交付要求をしたものとみなされことになります。残念ながら乙県税事務所の参加差押は、換価代金の金額の事情により配当を受けることはできないことになります。

· · · · · · · Memorandum Sheet · · · · · · ·

■作問・校正■
堀川　洋

■編集■
吉川　史織／加藤　由季

■表紙デザイン■
株式会社オセロ

■DTP編集■
中嶋　典子／石川　祐子／吉永絢子

本書の発行後に公表された法令等及び試験制度の改正情報、並びに判明した誤りに関する訂正情報については、弊社WEBサイト内の『**読者の方へ**』にてご案内しておりますので、ご確認下さい。

https://www.net-school.co.jp/

なお、万が一、誤りではないかと思われる箇所のうち、弊社WEBサイトにて掲載がないものにつきましては、**書名（ＩＳＢＮコード）と誤りと思われる内容**のほか、お客様の**お名前**及び**郵送の場合はご返送先の郵便番号とご住所**を明記の上、弊社まで**郵送またはe-mail**にてお問い合わせ下さい。

＜郵送先＞　〒101－0054
東京都千代田区神田錦町3－23メットライフ神田錦町ビル３階
ネットスクール株式会社　正誤問い合わせ係
＜e-mail＞　seisaku@net-school.co.jp

※正誤に関するもの以外のご質問、本書に関係のないご質問にはお答えできません。
※**お電話によるお問い合わせはお受けできません。**ご了承下さい。

第74回税理士試験
ラストスパート模試＆過去問　国税徴収法

2024年5月9日　初　版　第1刷発行

編著者　ネットスクール株式会社
発行者　桑原知之
発行所　ネットスクール株式会社
出版本部
〒101-0054 東京都千代田区神田錦町3-23
電話　03（6823）6458（営業）
FAX　03（3294）9595
https://www.net-school.co.jp/
DTP制作　Doors本舎　長谷川正晴
印刷・製本　倉敷印刷株式会社

Printed in Japan　ISBN 978-4-7810-3815-5